하루 10분 서술형/문장제 학습지

수학 독해

D3 분수와 소수
초4~초5

Creative to Math

씨투엠

수학독해 : 수학을 스스로 읽고 해결하다

객관식이나 간단한 단답형 문제는 자신 있는데 긴 문장이나 풀이 과정을 쓰라는 문제는 어려워하는 아이들이 있어요. 빠르고 정확하게 연산하고 교과 응용문제까지도 곧잘 풀어내지만, 문제 속 상황이 약간만 복잡해지면 문제를 풀려고도 하지 않는 아이들도 많아요. 이러한 아이들에게 부족한 것은 연산 능력이나 문제 해결력보다는 독해력과 표현력입니다. 특히 수학적 텍스트를 이해하고 표현하는 능력, 즉 수학 독해력이지요.

요즘 아이들의 독해력이 약해진 가장 큰 이유는 과거에 비해 이야기를 만나는 방식이 다양해졌기 때문이에요. 예전에는 대부분 말이나 글로써만 이야기를 접했어요. 텍스트 위주로 여러 가지 사건을 간접 체험하고, 머릿 속으로 상황을 그려내는 훈련이 자연스럽게 이루어졌지요. 반면 요즘 아이들은 글보다도 TV나 스마트폰 등 영상매체에 훨씬 빨리, 자주 노출되기에 글을 통해 상상을 할 필요가 점점 없어지게 되었습니다.

그렇다고 아이들에게 어렸을 때부터 영화나 애니메이션을 못 보게 하고 책만 읽게 하는 것은 바람직하지 않고, 가능하지도 않아요. 시각 매체는 그 자체로 많은 장점이 있기 때문에 지금의 아이들은 예전 세대에 비해 이미지에 대한 이해력과 적용력이 매우 뛰어나답니다. 문제는 아직까지 모든 학습과 평가 방식이 여전히 텍스트 위주이기 때문에 지금도 아이들에게 독해력이 중요하다는 점이에요. 그래서 저희는 영상 매체에는 익숙하지만 말이나 글에는 약한 아이들을 위한 새로운 수학 독해력 향상 프로그램인 씨투엠 수학독해를 기획하게 되었어요.

씨투엠 수학독해는 기존 문장제/서술형 교재들보다 더욱 쉽고 간단한 학습법을 보여주려 해요. 문제에 있는 문장과 표현 하나하나마다 따로 접근하여 아이들이 어려워하는 포인트를 찾고, 각 포인트마다 직관적인 활동을 통해 독해력과 표현력을 차근차근 끌어올리려고 합니다. 또한 문제 이해와 풀이 서술 과정을 단계별로 세세하게 나누어 문장제, 서술형 문제를 부담 없이 체계적으로 연습할 수 있어요. 새로운 문장제 학습법인 씨투엠 수학독해가 문장제 문제에 특히 어려움을 겪고 있거나 앞으로 서술형 문제를 좀 더 잘 대비하고 싶은 아이들에게 큰 도움이 될 것이라 자신합니다.

수학독해의 구성과 특징

- 매일 부담없이 2쪽씩, 하루 10분 문장제 학습
- 매주 5일간 단계별 활동, 6일차는 중요 문장제 확인학습
- 5회분의 진단평가로 테스트 및 복습

주차별 구성

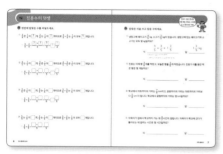

일일학습
꼬마 수학자들의
간단한 팁과 함께
매일 새롭게 만나는
단계별 문장제 활동

확인학습
중요 문장제 활동을
다시 한번 확인하며
주차 학습 마무리

1 주 차	1일	2일	3일	4일	5일	확인학습
	6쪽 ~ 7쪽	8쪽 ~ 9쪽	10쪽 ~ 11쪽	12쪽 ~ 13쪽	14쪽 ~ 15쪽	16쪽 ~ 18쪽

2 주 차	1일	2일	3일	4일	5일	확인학습
	20쪽 ~ 21쪽	22쪽 ~ 23쪽	24쪽 ~ 25쪽	26쪽 ~ 27쪽	28쪽 ~ 29쪽	30쪽 ~ 32쪽

3 주 차	1일	2일	3일	4일	5일	확인학습
	34쪽 ~ 35쪽	36쪽 ~ 37쪽	38쪽 ~ 39쪽	40쪽 ~ 41쪽	42쪽 ~ 43쪽	44쪽 ~ 46쪽

4 주 차	1일	2일	3일	4일	5일	확인학습
	48쪽 ~ 49쪽	50쪽 ~ 51쪽	52쪽 ~ 53쪽	54쪽 ~ 55쪽	56쪽 ~ 57쪽	58쪽 ~ 60쪽

진단평가 구성

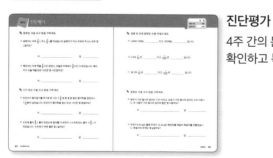

진단평가
4주 간의 문장제 학습에서 부족한 부분을
확인하고 복습하기 위한 자가 진단 테스트

진 단 평 가	1회	2회	3회	4회	5회
	62쪽 ~ 63쪽	64쪽 ~ 65쪽	66쪽 ~ 67쪽	68쪽 ~ 69쪽	70쪽 ~ 71쪽

이 책의 차례

1주차

분수(1)

✿ 빈칸에 알맞은 수를 써넣으세요.

☆ $\dfrac{3}{4}$은 $\dfrac{1}{4}$이 $\boxed{3}$ 개, $\dfrac{2}{4}$는 $\dfrac{1}{4}$이 $\boxed{2}$ 개이므로 $\dfrac{3}{4}+\dfrac{2}{4}$는 $\dfrac{1}{4}$이 모두 $\boxed{5}$ 개입니다.

⇨ $\dfrac{3}{4}+\dfrac{2}{4}=\dfrac{\boxed{3}+\boxed{2}}{4}=\dfrac{\boxed{5}}{4}=\boxed{1}\dfrac{\boxed{1}}{4}$

① $\dfrac{4}{5}$는 $\dfrac{1}{5}$이 $\boxed{}$ 개, $\dfrac{3}{5}$은 $\dfrac{1}{5}$이 $\boxed{}$ 개이므로 $\dfrac{4}{5}+\dfrac{3}{5}$은 $\dfrac{1}{5}$이 모두 $\boxed{}$ 개입니다.

⇨ $\dfrac{4}{5}+\dfrac{3}{5}=\dfrac{\boxed{}+\boxed{}}{5}=\dfrac{\boxed{}}{5}=\boxed{}\dfrac{\boxed{}}{5}$

② $\dfrac{3}{6}$은 $\dfrac{1}{6}$이 $\boxed{}$ 개, $\dfrac{5}{6}$는 $\dfrac{1}{6}$이 $\boxed{}$ 개이므로 $\dfrac{3}{6}+\dfrac{5}{6}$는 $\dfrac{1}{6}$이 모두 $\boxed{}$ 개입니다.

⇨ $\dfrac{3}{6}+\dfrac{5}{6}=\dfrac{\boxed{}+\boxed{}}{6}=\dfrac{\boxed{}}{6}=\boxed{}\dfrac{\boxed{}}{6}$

③ $\dfrac{5}{9}$는 $\dfrac{1}{9}$이 $\boxed{}$ 개, $\dfrac{2}{9}$는 $\dfrac{1}{9}$이 $\boxed{}$ 개이므로 $\dfrac{5}{9}+\dfrac{2}{9}$는 $\dfrac{1}{9}$이 모두 $\boxed{}$ 개입니다.

⇨ $\dfrac{5}{9}+\dfrac{2}{9}=\dfrac{\boxed{}+\boxed{}}{9}=\dfrac{\boxed{}}{9}$

분모가 같은 분수를 더할 때는 분모는 그대로 두고 분자끼리 더해.

❀ 알맞은 식을 쓰고 답을 구하세요.

★ 냉장고에 돼지고기 $\frac{4}{5}$ kg, 소고기 $\frac{3}{5}$ kg이 있습니다. 냉장고에 있는 돼지고기와 소고기는 모두 몇 kg일까요?

식 : $\frac{4}{5} + \frac{3}{5} = 1\frac{2}{5}$ 답 : $1\frac{2}{5}$ kg

(냉장고에 있는 고기의 무게)

= (돼지고기의 무게) + (소고기의 무게)

① 진호는 어제 빵 $\frac{3}{6}$개를 먹었고, 오늘은 빵을 $\frac{2}{6}$개 먹었습니다. 진호가 이틀 동안 먹은 빵은 몇 개일까요?

식 : _____   답 : _____

② 학교에서 마트까지의 거리는 $\frac{7}{8}$ km이고, 공원까지의 거리는 마트까지의 거리보다 $\frac{5}{8}$ km 더 멉니다. 학교에서 공원까지의 거리는 몇 km일까요?

식 : _____   답 : _____

③ 자욱이가 집에서 학교까지 가는 데 $\frac{4}{7}$시간이 걸립니다. 자욱이가 학교에 갔다가 돌아오는 데 걸리는 시간은 몇 시간일까요?

식 : _____   답 : _____

🎨 빈칸에 알맞은 수를 써넣으세요.

⭐ $\dfrac{4}{5}$ 는 $\dfrac{1}{5}$ 이 $\boxed{4}$ 개, $\dfrac{3}{5}$ 은 $\dfrac{1}{5}$ 이 $\boxed{3}$ 개이므로 $\dfrac{4}{5} - \dfrac{3}{5}$ 은 $\dfrac{1}{5}$ 이 모두 $\boxed{1}$ 개입니다.

⇨ $\dfrac{4}{5} - \dfrac{3}{5} = \dfrac{\boxed{4} - \boxed{3}}{5} = \dfrac{\boxed{1}}{5}$

① $\dfrac{5}{6}$ 는 $\dfrac{1}{6}$ 이 $\boxed{}$ 개, $\dfrac{1}{6}$ 은 $\dfrac{1}{6}$ 이 $\boxed{}$ 개이므로 $\dfrac{5}{6} - \dfrac{1}{6}$ 은 $\dfrac{1}{6}$ 이 모두 $\boxed{}$ 개입니다.

⇨ $\dfrac{5}{6} - \dfrac{1}{6} = \dfrac{\boxed{} - \boxed{}}{6} = \dfrac{\boxed{}}{6}$

② $\dfrac{6}{8}$ 은 $\dfrac{1}{8}$ 이 $\boxed{}$ 개, $\dfrac{3}{8}$ 은 $\dfrac{1}{8}$ 이 $\boxed{}$ 개이므로 $\dfrac{6}{8} - \dfrac{3}{8}$ 은 $\dfrac{1}{8}$ 이 모두 $\boxed{}$ 개입니다.

⇨ $\dfrac{6}{8} - \dfrac{3}{8} = \dfrac{\boxed{} - \boxed{}}{8} = \dfrac{\boxed{}}{8}$

③ $\dfrac{9}{12}$ 는 $\dfrac{1}{12}$ 이 $\boxed{}$ 개, $\dfrac{5}{12}$ 는 $\dfrac{1}{12}$ 이 $\boxed{}$ 개이므로 $\dfrac{9}{12} - \dfrac{5}{12}$ 는 $\dfrac{1}{12}$ 이

모두 $\boxed{}$ 개입니다. ⇨ $\dfrac{9}{12} - \dfrac{5}{12} = \dfrac{\boxed{} - \boxed{}}{12} = \dfrac{\boxed{}}{12}$

말풍선: 분모가 같은 분수를 뺄 때는 분모는 그대로 두고 분자끼리 빼.

🎨 알맞은 식을 쓰고 답을 구하세요.

⭐ 연우는 포장용 끈 $\frac{8}{9}$ m 중 $\frac{4}{9}$ m를 선물 포장에 사용했습니다. 남은 포장용 끈은 몇 m일까요?

식 : $\frac{8}{9} - \frac{4}{9} = \frac{4}{9}$ 답 : $\frac{4}{9}$ m

(남은 포장용 끈의 길이)
= (원래 있던 끈의 길이) - (사용한 끈의 길이)

① 경주는 피자를 $\frac{6}{8}$판 먹었고, 지호는 $\frac{4}{8}$판 먹었습니다. 경주는 지호보다 피자를 몇 판 더 먹었을까요?

식 : _____   답 : _____

② 진주는 $\frac{11}{12}$시간 동안 산책을 했는데 $\frac{3}{12}$시간 동안 뛰고 나머지 시간은 걸었습니다. 진주가 걸은 시간은 몇 시간일까요?

식 : _____   답 : _____

③ 호영이는 우유를 $\frac{6}{7}$병 마셨고, 준호는 호영이보다 $\frac{1}{7}$병 덜 마셨습니다. 준호가 마신 우유는 몇 병일까요?

식 : _____   답 : _____

🐝 빈칸에 알맞은 수를 써넣으세요.

✪ 1은 $\frac{1}{7}$이 $\boxed{7}$ 개, $\frac{5}{7}$는 $\frac{1}{7}$이 $\boxed{5}$ 개이므로 1-$\frac{5}{7}$는 $\frac{1}{7}$이 모두 $\boxed{2}$ 개입니다.

⇨ $1-\frac{5}{7}=\dfrac{\boxed{7}-\boxed{5}}{7}=\dfrac{\boxed{2}}{7}$

① 1은 $\frac{1}{3}$이 $\boxed{}$ 개, $\frac{2}{3}$는 $\frac{1}{3}$이 $\boxed{}$ 개이므로 1-$\frac{2}{3}$는 $\frac{1}{3}$이 모두 $\boxed{}$ 개입니다.

⇨ $1-\frac{2}{3}=\dfrac{\boxed{}-\boxed{}}{3}=\dfrac{\boxed{}}{3}$

② 1은 $\frac{1}{6}$이 $\boxed{}$ 개, $\frac{2}{6}$는 $\frac{1}{6}$이 $\boxed{}$ 개이므로 1-$\frac{2}{6}$는 $\frac{1}{6}$이 모두 $\boxed{}$ 개입니다.

⇨ $1-\frac{2}{6}=\dfrac{\boxed{}-\boxed{}}{6}=\dfrac{\boxed{}}{6}$

③ 1은 $\frac{1}{8}$이 $\boxed{}$ 개, $\frac{3}{8}$은 $\frac{1}{8}$이 $\boxed{}$ 개이므로 1-$\frac{3}{8}$은 $\frac{1}{8}$이 모두 $\boxed{}$ 개입니다.

⇨ $1-\frac{3}{8}=\dfrac{\boxed{}-\boxed{}}{8}=\dfrac{\boxed{}}{8}$

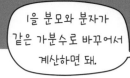

말풍선: 1을 분모와 분자가 같은 가분수로 바꾸어서 계산하면 돼.

🐝 알맞은 식을 쓰고 답을 구하세요.

⭐ 주민이는 빵 1개를 사서 $\frac{3}{4}$개를 먹었습니다. 남은 빵은 얼마일까요?

식 : $1 - \frac{3}{4} = \frac{1}{4}$ 답 : $\frac{1}{4}$개

(남은 빵의 양)

= (원래 있던 빵의 양) − (먹은 빵의 양)

① 정육점에서 산 소고기 1 kg 중 $\frac{5}{8}$ kg을 먹었습니다. 남은 소고기는 몇 kg일까요?

식 : _____   답 : _____

② 홍철이는 1시간 동안 운동을 했고, 준하는 $\frac{8}{11}$시간 동안 운동을 했습니다. 홍철이는 준하보다 몇 시간 더 운동을 했을까요?

식 : _____   답 : _____

③ 길이가 1 m인 리본 중 $\frac{2}{6}$ m를 잘라서 썼습니다. 남은 리본의 길이는 몇 m일까요?

식 : _____   답 : _____

🎲 알맞은 풀이를 쓰고 답을 구하세요.

⭐ 수연이는 가족 농장에서 감자를 $\frac{2}{5}$ kg 캤고, 고구마를 $\frac{3}{5}$ kg 캤습니다. 수연이가 캔 감자와 고구마는 모두 몇 kg일까요?

풀이 : (감자와 고구마의 양)
= (감자의 양) + (고구마의 양)
= $\frac{2}{5} + \frac{3}{5} = 1$ (kg)

답 : ___1 kg___

① 주영이는 철사를 $\frac{3}{4}$ m 썼고, 건희는 주영이보다 $\frac{2}{4}$ m 더 썼습니다. 건희가 쓴 철사는 몇 m일까요?

풀이 :

답 : _____

② 생수 1병을 사서 태민이가 $\frac{1}{6}$병을 마시고, 나머지는 형진이가 마셨습니다. 형진이가 마신 생수는 몇 병일까요?

풀이 :

답 : _____

③ 주호는 $\frac{13}{15}$시간 동안 공부를 했고, $\frac{4}{15}$시간 동안 운동을 했습니다. 주호가 공부를 한 시간은 운동을 한 시간보다 몇 시간 더 길까요?

풀이 :

답 : _____

🌼 2가지 방법으로 계산해 보세요.

⭐ 방법1 $3\frac{2}{3} + 2\frac{2}{3} = (\boxed{3} + \boxed{2}) + (\frac{\boxed{2}}{3} + \frac{\boxed{2}}{3}) = \boxed{5} + \frac{\boxed{4}}{3}$

$= \boxed{5} + \boxed{1}\frac{\boxed{1}}{3} = \boxed{6}\frac{\boxed{1}}{3}$

방법2 $3\frac{2}{3} + 2\frac{2}{3} = \frac{\boxed{11}}{3} + \frac{\boxed{8}}{3} = \frac{\boxed{11} + \boxed{8}}{3} = \frac{\boxed{19}}{3} = \boxed{6}\frac{\boxed{1}}{3}$

① 방법1 $2\frac{4}{5} + 3\frac{3}{5} = (\boxed{} + \boxed{}) + (\frac{\boxed{}}{5} + \frac{\boxed{}}{5}) = \boxed{} + \frac{\boxed{}}{5}$

$= \boxed{} + \boxed{}\frac{\boxed{}}{5} = \boxed{}\frac{\boxed{}}{5}$

방법2 $2\frac{4}{5} + 3\frac{3}{5} = \frac{\boxed{}}{5} + \frac{\boxed{}}{5} = \frac{\boxed{} + \boxed{}}{5} = \frac{\boxed{}}{5} = \boxed{}\frac{\boxed{}}{5}$

② 방법1 $1\frac{5}{6} + 2\frac{4}{6} = (\boxed{} + \boxed{}) + (\frac{\boxed{}}{6} + \frac{\boxed{}}{6}) = \boxed{} + \frac{\boxed{}}{6}$

$= \boxed{} + \boxed{}\frac{\boxed{}}{6} = \boxed{}\frac{\boxed{}}{6}$

방법2 $1\frac{5}{6} + 2\frac{4}{6} = \frac{\boxed{}}{6} + \frac{\boxed{}}{6} = \frac{\boxed{} + \boxed{}}{6} = \frac{\boxed{}}{6} = \boxed{}\frac{\boxed{}}{6}$

자연수와 분수를 각각 계산하는 방법과 가분수로 고쳐서 계산하는 방법이 있어.

🌸 알맞은 식을 쓰고 답을 구하세요.

⭐ 마트에서 딸기 $2\frac{3}{4}$ kg, 토마토 $5\frac{2}{4}$ kg을 샀습니다. 마트에서 산 딸기와 토마토는 모두 몇 kg일까요?

식 : $2\frac{3}{4} + 5\frac{2}{4} = 8\frac{1}{4}$

답 : $8\frac{1}{4}$ kg

(딸기와 토마토의 무게)
= (딸기의 무게) + (토마토의 무게)

① 자동차를 타고 서울에서 천안까지 $1\frac{3}{8}$시간 걸렸고, 천안에서 광주까지 $3\frac{4}{8}$시간 걸렸습니다. 서울에서 광주까지 걸린 시간은 몇 시간일까요?

식 : _____   답 : _____

② 주아는 $4\frac{5}{6}$ km를 걸었고, 지혜는 주아보다 $\frac{3}{6}$ km를 더 걸었습니다. 지혜가 걸은 거리는 몇 km일까요?

식 : _____   답 : _____

③ 성주가 종이학 한 마리를 접는 데 $2\frac{3}{10}$분이 걸립니다. 성주가 종이학 2마리를 접는 데 걸리는 시간은 몇 분일까요?

식 : _____   답 : _____

✎ 알맞은 식을 쓰고 답을 구하세요.

① 선물 하나를 포장하는 데 리본 $\frac{3}{4}$ m가 필요합니다. 선물 2개를 포장하는 데 필요한 리본은 몇 m일까요?

식 : _____   답 : _____

② 호식이네 가족은 옥수수를 $\frac{6}{9}$ kg 땄고, 밤은 옥수수보다 $\frac{5}{9}$ kg 더 땄습니다. 호식이네 가족이 딴 밤은 몇 kg일까요?

식 : _____   답 : _____

③ 들이가 각각 $\frac{3}{5}$ L인 컵과 $\frac{2}{5}$ L인 컵이 있습니다. 두 컵의 들이 차는 몇 L일까요?

식 : _____   답 : _____

④ 식탁 위에 있던 소시지 $\frac{8}{10}$ kg 중 $\frac{2}{10}$ kg을 먹었습니다. 식탁 위에 남은 소시지는 몇 kg일까요?

식 : _____   답 : _____

✎ 알맞은 식을 쓰고 답을 구하세요.

⑤ 냉장고에 있던 우유 1L 중 $\frac{5}{8}$ L를 마셨습니다. 냉장고에 남은 우유는 몇 L일까요?

식 : _____   답 : _____

⑥ 우혁이는 한 바퀴의 거리가 1 km인 공원에서 $\frac{7}{12}$ km를 걸었습니다. 우혁이가 한 바퀴를 돌 때까지 남은 거리는 몇 km일까요?

식 : _____   답 : _____

⑦ 수조에 물이 $\frac{2}{7}$ L 들어 있었는데 물을 $5\frac{4}{7}$ L 더 부었습니다. 수조에 있는 물은 모두 몇 L일까요?

식 : _____   답 : _____

⑧ 창주는 색 테이프를 $6\frac{2}{9}$ m 사용했고, 상현이는 창주보다 $2\frac{8}{9}$ m 더 사용했습니다. 상현이가 사용한 색 테이프는 몇 m일까요?

식 : _____   답 : _____

✎ 알맞은 풀이를 쓰고 답을 구하세요.

⑨ 송이는 어제 $\frac{5}{12}$시간 동안 학습지를 풀었고, 오늘은 $\frac{6}{12}$시간 동안 학습지를 풀었습니다. 송이가 이틀 동안 학습지를 푼 시간은 몇 시간일까요?

풀이 :

답 : _____

⑩ 서현이네 집에서 학원까지의 거리는 $\frac{8}{9}$ km입니다. 서현이가 집에서 출발하여 $\frac{3}{9}$ km만큼 갔을 때 학원까지 남은 거리는 몇 km일까요?

풀이 :

답 : _____

2주차

분수(2)

대분수의 뺄셈(1)

✿ 2가지 방법으로 계산해 보세요.

★ 방법 1 $5\frac{3}{4} - 1\frac{1}{4} = (\boxed{5} - \boxed{1}) + (\frac{\boxed{3}}{4} - \frac{\boxed{1}}{4}) = \boxed{4} + \frac{\boxed{2}}{4} = \boxed{4}\frac{\boxed{2}}{4}$

방법 2 $5\frac{3}{4} - 1\frac{1}{4} = \frac{\boxed{23}}{4} - \frac{\boxed{5}}{4} = \frac{\boxed{18}}{4} = \boxed{4}\frac{\boxed{2}}{4}$

① 방법 1 $4\frac{3}{5} - 2\frac{2}{5} = (\boxed{} - \boxed{}) + (\frac{\boxed{}}{5} - \frac{\boxed{}}{5}) = \boxed{} + \frac{\boxed{}}{5} = \boxed{}\frac{\boxed{}}{5}$

방법 2 $4\frac{3}{5} - 2\frac{2}{5} = \frac{\boxed{}}{5} - \frac{\boxed{}}{5} = \frac{\boxed{}}{5} = \boxed{}\frac{\boxed{}}{5}$

② 방법 1 $6\frac{5}{6} - 5\frac{1}{6} = (\boxed{} - \boxed{}) + (\frac{\boxed{}}{6} - \frac{\boxed{}}{6}) = \boxed{} + \frac{\boxed{}}{6} = \boxed{}\frac{\boxed{}}{6}$

방법 2 $6\frac{5}{6} - 5\frac{1}{6} = \frac{\boxed{}}{6} - \frac{\boxed{}}{6} = \frac{\boxed{}}{6} = \boxed{}\frac{\boxed{}}{6}$

🌸 알맞은 식을 쓰고 답을 구하세요.

⭐ 집에서 학교까지는 $3\frac{3}{5}$ km, 집에서 마트까지는 $1\frac{1}{5}$ km입니다. 학교는 마트보다 몇 km 더 멀까요?

식 : $3\frac{3}{5} - 1\frac{1}{5} = 2\frac{2}{5}$ 답 : $2\frac{2}{5}$ km

(두 거리의 차)

= (집 ~ 학교 거리) - (집 ~ 마트 거리)

① 준희의 생일 파티 때 친구들이 우유를 $2\frac{2}{4}$ L 마셨고, 주스를 $1\frac{1}{4}$ L 마셨습니다. 친구들이 마신 우유는 주스보다 몇 L 더 많을까요?

식 : _____   답 : _____

② 태희는 러닝머신에서 $4\frac{6}{7}$분 동안 달렸는데 도중에 $\frac{3}{7}$분 동안은 잠시 쉬었습니다. 태희가 쉬지 않고 달린 시간은 몇 분일까요?

식 : _____   답 : _____

③ 빨간색 크레파스의 길이는 $5\frac{9}{10}$ cm이고, 파란색 크레파스의 길이는 빨간색보다 $1\frac{6}{10}$ cm 짧습니다. 파란색 크레파스의 길이는 몇 cm일까요?

식 : _____   답 : _____

(자연수)-(대분수)

🎨 2가지 방법으로 계산해 보세요.

⭐ 방법 1 $4 - 1\dfrac{1}{6} = \boxed{3}\dfrac{\boxed{6}}{6} - 1\dfrac{1}{6} = \boxed{2}\dfrac{\boxed{5}}{6}$

방법 2 $4 - 1\dfrac{1}{6} = \dfrac{\boxed{24}}{6} - \dfrac{\boxed{7}}{6} = \dfrac{\boxed{17}}{6} = \boxed{2}\dfrac{\boxed{5}}{6}$

① 방법 1 $7 - 3\dfrac{2}{5} = \boxed{}\dfrac{\boxed{}}{5} - 3\dfrac{2}{5} = \boxed{}\dfrac{\boxed{}}{5}$

방법 2 $7 - 3\dfrac{2}{5} = \dfrac{\boxed{}}{5} - \dfrac{\boxed{}}{5} = \dfrac{\boxed{}}{5} = \boxed{}\dfrac{\boxed{}}{5}$

② 방법 1 $6 - 4\dfrac{3}{7} = \boxed{}\dfrac{\boxed{}}{7} - 4\dfrac{3}{7} = \boxed{}\dfrac{\boxed{}}{7}$

방법 2 $6 - 4\dfrac{3}{7} = \dfrac{\boxed{}}{7} - \dfrac{\boxed{}}{7} = \dfrac{\boxed{}}{7} = \boxed{}\dfrac{\boxed{}}{7}$

🎨 알맞은 식을 쓰고 답을 구하세요.

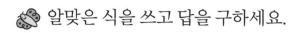

⭐ 승준이가 피자 3판을 주문해서 친구들과 $1\frac{1}{2}$판을 먹었습니다. 먹고 남은 피자는 몇 판일까요?

식 : $\underline{3 - 1\frac{1}{2} = 1\frac{1}{2}}$ 답 : $\underline{1\frac{1}{2}}$ 판

(남은 피자의 양)

= (주문한 전체 피자) – (먹은 피자)

① 냉장고에 생수가 5 L 들어 있고, 우유는 생수보다 $3\frac{2}{8}$ L 더 적게 들어 있습니다. 냉장고에 들어 있는 우유는 몇 L일까요?

식 : _____   답 : _____

② 현진이네 집에 쌀이 7 kg 있었는데 $4\frac{3}{6}$ kg을 먹었습니다. 현진이네 집에 남은 쌀은 몇 kg일까요?

식 : _____   답 : _____

③ 진용이가 가진 색 테이프는 4 m이고, 민정이가 가진 색 테이프는 $3\frac{1}{4}$ m입니다. 진용이의 색 테이프는 민정이보다 몇 m 더 길까요?

식 : _____   답 : _____

🐝 2가지 방법으로 계산해 보세요.

⭐ 방법 1 $4\dfrac{1}{3} - 2\dfrac{2}{3} = \boxed{3}\dfrac{\boxed{4}}{3} - 2\dfrac{2}{3} = \boxed{1}\dfrac{\boxed{2}}{3}$

방법 2 $4\dfrac{1}{3} - 2\dfrac{2}{3} = \dfrac{\boxed{13}}{3} - \dfrac{\boxed{8}}{3} = \dfrac{\boxed{5}}{3} = \boxed{1}\dfrac{\boxed{2}}{3}$

① 방법 1 $5\dfrac{2}{4} - 4\dfrac{3}{4} = \boxed{}\dfrac{\boxed{}}{4} - 4\dfrac{3}{4} = \dfrac{\boxed{}}{4}$

방법 2 $5\dfrac{2}{4} - 4\dfrac{3}{4} = \dfrac{\boxed{}}{4} - \dfrac{\boxed{}}{4} = \dfrac{\boxed{}}{4}$

② 방법 1 $6\dfrac{1}{8} - 2\dfrac{4}{8} = \boxed{}\dfrac{\boxed{}}{8} - 2\dfrac{4}{8} = \boxed{}\dfrac{\boxed{}}{8}$

방법 2 $6\dfrac{1}{8} - 2\dfrac{4}{8} = \dfrac{\boxed{}}{8} - \dfrac{\boxed{}}{8} = \dfrac{\boxed{}}{8} = \boxed{}\dfrac{\boxed{}}{8}$

말풍선: 자연수를 받아내림하는 방법과 가분수로 고쳐서 계산하는 방법이야.

🐝 알맞은 식을 쓰고 답을 구하세요.

✪ 소나무의 키는 $4\frac{1}{6}$ m이고 벚나무의 키는 소나무보다 $2\frac{5}{6}$ m 더 작습니다. 벚나무의 키는 몇 m일까요?

식 : $4\frac{1}{6} - 2\frac{5}{6} = 1\frac{2}{6}$

답 : $1\frac{2}{6}$ m

(벚나무의 키)
= (소나무의 키) - (소나무보다 작은 키)

① 예진이는 $6\frac{2}{4}$시간 동안 잠을 잤는데 $2\frac{3}{4}$시간 동안은 침대에서 자고, 나머지 시간 동안은 바닥에서 잤습니다. 예진이가 바닥에서 잔 시간은 몇 시간일까요?

식 : _____   답 : _____

② 수애는 집에 있던 밀가루 $3\frac{2}{7}$ kg 중 $2\frac{5}{7}$ kg을 빵을 만드는 데 사용했습니다. 수애네 집에 남은 밀가루는 몇 kg일까요?

식 : _____   답 : _____

③ 마트에서 생수를 $4\frac{7}{11}$ L 사고, 탄산수는 생수보다 $\frac{10}{11}$ L 더 적게 샀습니다. 마트에서 산 탄산수는 몇 L일까요?

식 : _____   답 : _____

🎨 알맞은 풀이를 쓰고 답을 구하세요.

⭐ 길이가 6 cm인 생일 초에 불을 붙였는데 생일 축하 노래가 끝나고 나서 생일 초의 길이를 재어 보니 $3\frac{2}{5}$ cm였습니다. 줄어든 생일 초의 길이는 몇 cm일까요?

풀이 : (줄어든 생일 초의 길이)
= (원래 초의 길이) – (나중에 잰 초의 길이)

$= 6 - 3\frac{2}{5} = 2\frac{3}{5}$ (cm)

답 : $2\frac{3}{5}$ cm

① 정재는 집에 있던 식용유 $3\frac{4}{8}$ 병 중에서 $\frac{3}{8}$ 병을 사용했습니다. 정재네 집에 남은 식용유는 몇 병일까요?

풀이 :

답 : _____

② 하림이가 집에서 출발하여 $2\frac{5}{6}$분 동안 뛰어 가고 $4\frac{3}{6}$분 동안 걸어서 도서관에 도착하였습니다. 하림이가 집에서 도서관까지 가는 데 걸린 시간은 몇 분일까요?

풀이 :

답 : _____

③ 멜론의 무게는 $4\frac{2}{7}$ kg이고, 배의 무게는 $2\frac{5}{7}$ kg입니다. 멜론은 배보다 몇 kg 더 무거울까요?

풀이 :

답 : _____

✿ □가 있는 식을 쓰고 답을 구하세요.

☆ 어떤 수에 $\frac{2}{9}$를 더했더니 $\frac{7}{9}$이 되었습니다. 어떤 수는 얼마일까요?

식 : $\square + \frac{2}{9} = \frac{7}{9}$

$\square = \frac{7}{9} - \frac{2}{9}$

답 : $\frac{5}{9}$

① 어떤 수에서 $\frac{4}{5}$를 뺐더니 $\frac{2}{5}$가 되었습니다. 어떤 수는 얼마일까요?

식 : _____   답 : _____

② $2\frac{3}{6}$에 어떤 수를 더했더니 $3\frac{1}{6}$이 되었습니다. 어떤 수는 얼마일까요?

식 : _____   답 : _____

③ $3\frac{2}{7}$에서 어떤 수를 뺐더니 $\frac{6}{7}$이 되었습니다. 어떤 수는 얼마일까요?

식 : _____   답 : _____

문제에서 어떤 값을 □로 나타내야 할지 잘 찾아야 해.

✿ □가 있는 식을 쓰고 답을 구하세요.

☆ 식당에 간장 $3\frac{2}{3}$ 병이 있었는데 요리를 하는 데 쓰고 2병이 남았습니다. 식당에서 요리를 하는 데 쓴 간장은 몇 병일까요?

식 : $3\frac{2}{3} - \square = 2$

$\square = 3\frac{2}{3} - 2$

답 : $1\frac{2}{3}$병

① 수진이네 강아지의 몸무게가 $\frac{2}{8}$ kg 늘어서 $4\frac{7}{8}$ kg이 되었습니다. 수진이네 강아지의 원래 몸무게는 몇 kg일까요?

식 : _____   답 : _____

② 민호가 집에서 출발하여 $\frac{5}{12}$ km를 걸어갔더니 도서관까지 $2\frac{10}{12}$ km 남았습니다. 민호네 집에서 도서관까지의 거리는 몇 km일까요?

식 : _____   답 : _____

③ 냉장고에 생수 $2\frac{3}{4}$ L가 있었는데 생수 몇 L를 더 사 넣었더니 냉장고의 생수는 $6\frac{1}{4}$ L가 되었습니다. 더 사 넣은 생수는 몇 L일까요?

식 : _____   답 : _____

✎ 알맞은 식을 쓰고 답을 구하세요.

① 성재는 빵을 $3\frac{1}{2}$개 먹었고, 두섭이는 빵을 $2\frac{1}{2}$개 먹었습니다. 성재는 두섭이보다 빵을 몇 개 더 먹었을까요?

식 : _____   답 : _____

② 채림이는 학교에 $5\frac{7}{12}$ 시간 동안 있었고, 학원에는 학교보다 $3\frac{3}{12}$ 시간만큼 더 짧게 있었습니다. 채림이가 학원에 있었던 시간은 몇 시간일까요?

식 : _____   답 : _____

③ 신지는 2시간 동안 공부를 하였는데 영어 공부를 $1\frac{2}{9}$시간 동안 하고, 남은 시간은 수학 공부를 하였습니다. 신지가 수학 공부를 한 시간은 몇 시간일까요?

식 : _____   답 : _____

④ 이쑤시개의 길이는 6 cm이고, 클립의 길이는 $2\frac{4}{5}$ cm입니다. 이쑤시개는 클립보다 몇 cm 더 길까요?

식 : _____   답 : _____

✎ 알맞은 식을 쓰고 답을 구하세요.

⑤ 종민이는 $8\frac{2}{9}$분 동안 종이접기를 했는데 $2\frac{4}{9}$분 동안 학을 접고 나머지 시간 동안 개구리를 접었습니다. 종민이가 개구리를 접은 시간은 몇 분일까요?

식 : _____   답 : _____

⑥ 노란색 생일 초의 길이는 $5\frac{6}{8}$ cm이고, 초록색 생일 초의 길이는 $6\frac{3}{8}$ cm입니다. 두 초의 길이 차는 몇 cm일까요?

식 : _____   답 : _____

⑦ 바구니에 사과 $\frac{3}{7}$ kg을 넣었더니 바구니와 사과의 무게가 $\frac{5}{7}$ kg이 되었습니다. 바구니만의 무게는 몇 kg일까요?

식 : _____   답 : _____

⑧ 상은이가 가진 색 테이프 중 $\frac{7}{10}$ m를 사용하고 $\frac{8}{10}$ m가 남았습니다. 원래 상은이가 가지고 있던 색 테이프는 몇 m일까요?

식 : _____   답 : _____

✏️ 알맞은 풀이를 쓰고 답을 구하세요.

⑨ 수현이는 어제 $\frac{3}{4}$ km를 걸었고, 오늘은 어제보다 $3\frac{2}{4}$ km 더 걸었습니다. 수현이가 오늘 걸은 거리는 몇 km일까요?

풀이 :

답 : _____

⑩ 냉장고에 오렌지 주스는 $2\frac{4}{10}$ L 들어 있고, 포도 주스는 $\frac{7}{10}$ L 들어 있습니다. 냉장고에 있는 오렌지 주스는 포도 주스보다 몇 L 더 많을까요?

풀이 :

답 : _____

3주차

소수(1)

✿ 밑줄 친 곳에 알맞은 수나 말을 써넣으세요.

✪ 2.35에서 2는 ___일___ 의 자리 숫자이고, ___2___ 를 나타냅니다.

　　　　3은 ___소수 첫째___ 자리 숫자이고, ___0.3___ 을 나타냅니다.

　　　　5는 ___소수 둘째___ 자리 숫자이고, ___0.05___ 를 나타냅니다.

① 1.28에서 1은 _____ 의 자리 숫자이고, _____ 을 나타냅니다.

　　　　2는 _____ 자리 숫자이고, _____ 를 나타냅니다.

　　　　8은 _____ 자리 숫자이고, _____ 을 나타냅니다.

② 4.19에서 4는 _____ 의 자리 숫자이고, _____ 를 나타냅니다.

　　　　1은 _____ 자리 숫자이고, _____ 을 나타냅니다.

　　　　9는 _____ 자리 숫자이고, _____ 를 나타냅니다.

✿ 알맞은 소수를 구하세요.

⭐ 1이 3개, 0.1이 5개, 0.01이 8개인 수는 얼마일까요?

3   0.5   0.08

답 : __3.58__

① 1이 2개, 0.1이 4개, 0.01이 7개인 수는 얼마일까요?

답 : _____

② 10이 1개, 1이 5개, 0.01이 9개인 수는 얼마일까요?

답 : _____

③ $\frac{1}{10}$이 6개, $\frac{1}{100}$이 8개인 수는 얼마일까요?

답 : _____

④ 10이 2개, $\frac{1}{10}$이 3개, $\frac{1}{100}$이 1개인 수는 얼마일까요?

답 : _____

 알맞은 소수를 구하세요.

✪ 0.1이 4개, 0.01이 1개, 0.001이 3개인 수는 얼마일까요?

　　0.4　　　　0.01　　　　　0.003

답 : ___0.413___

① 1이 3개, 0.1이 4개, 0.01이 8개, 0.001이 5개인 수는 얼마일까요?

답 : _____

② 1이 2개, 0.1이 1개, 0.001이 7개인 수는 얼마일까요?

답 : _____

③ 1이 7개, $\frac{1}{10}$ 이 4개, $\frac{1}{100}$ 이 7개, $\frac{1}{1000}$ 이 2개인 수는 얼마일까요?

답 : _____

④ 1이 8개, $\frac{1}{100}$ 이 6개, $\frac{1}{1000}$ 이 5개인 수는 얼마일까요?

답 : _____

🎨 다음 물음에 답하세요.

✪ 지현이의 키는 0.01이 132개인 수입니다. 지현이의 키는 몇 m일까요?

답 : ___**1.32** m___

① 견우의 100 m 달리기 기록은 0.01이 1905개인 수입니다. 견우의 100 m 달리기 기록은 몇 초일까요?

답 : _____

② 냉장고에 있는 돼지고기의 무게는 0.001이 2083개인 수입니다. 냉장고에 있는 돼지고기의 무게는 몇 kg일까요?

답 : _____

③ 백두산의 높이는 0.001이 2744개인 수입니다. 백두산의 높이는 몇 km일까요?

답 : _____

🐝 밑줄 친 곳에 알맞은 수를 써넣으세요.

☆ 2.19는 0.01이 __219__ 개이고, 2.24는 0.01이 __224__ 개이므로

2.19와 2.24 중 더 큰 소수는 __2.24__ 입니다.

① 3.65는 0.01이 _____ 개이고, 3.5는 0.01이 _____ 개이므로

3.65와 3.5 중 더 큰 소수는 _____ 입니다.

② 2.154는 0.001이 _____ 개이고, 2.157은 0.001이 _____ 개이므로

2.154와 2.157 중 더 작은 소수는 _____ 입니다.

③ 0.706은 0.001이 _____ 개이고, 0.75는 0.001이 _____ 개이므로

0.706과 0.75 중 더 작은 소수는 _____ 입니다.

소수의 크기를 비교할 때는 큰 자릿값부터 차례대로 비교해야 해.

🐝 다음 물음에 답하세요.

⭐ 집에서 학교까지의 거리는 1.725 km이고, 집에서 마트까지의 거리는 1.74 km입니다. 학교와 마트 중 집에서 더 먼 곳은 어디일까요?

1.725와 1.74는

일의 자리 숫자가 같습니다.

소수 첫째 자리 숫자가 같습니다.

소수 둘째 자리 숫자는 2 < 4 이므로 1.74가 더 큰 수입니다.

답 : __마트__

① 우진이의 멀리뛰기 기록은 1.88 m이고, 호영이의 기록은 1.79 m입니다. 두 사람 중 더 멀리 뛴 사람은 누구일까요?

답 : _____

② 미래반이 모은 재활용품의 무게는 12.61 kg이고, 소망반이 모은 재활용품의 무게는 12.705 kg입니다. 두 반 중 재활용품을 더 적게 모은 반은 어디일까요?

답 : _____

③ 냉장고에 주스가 2.345L 들어 있고, 우유가 2.328L 들어 있습니다. 주스와 우유 중 냉장고에 더 적게 들어 있는 것은 무엇일까요?

답 : _____

🎨 밑줄 친 곳에 알맞은 수를 써넣으세요.

⭐ 0.75의 10배는 ___**7.5**___ 이고, 100배는 ___**75**___ 입니다.

10배가 되면 소수점이 오른쪽으로 한 칸 이동합니다.

① 2.713의 10배는 _____ 이고, 100배는 _____ 입니다.

② 0.329의 10배는 _____ 이고, 100배는 _____ 입니다.

③ 8의 $\frac{1}{10}$ 은 _____ 이고, $\frac{1}{100}$ 은 _____ 입니다.

④ 1.4의 $\frac{1}{10}$ 은 _____ 이고, $\frac{1}{100}$ 은 _____ 입니다.

⑤ 53.6의 $\frac{1}{10}$ 은 _____ 이고, $\frac{1}{100}$ 은 _____ 입니다.

🐝 다음 물음에 답하세요.

⭐ 강아지의 몸무게는 3.54 kg이고, 지현이의 몸무게는 강아지 몸무게의 10배입니다. 지현이의 몸무게는 몇 kg일까요?

답 : **35.4** kg

① 수연이의 100 m 달리기 기록은 20.54초이고, 연재의 4000 m 달리기 기록은 수연이의 100 m 달리기 기록의 100배입니다. 연재의 기록은 몇 초일까요?

답 : _____

② 냉장고에 있는 우유 4.57 L 중 $\frac{1}{10}$ 을 마셨습니다. 마신 우유는 몇 L일까요?

답 : _____

③ 건물의 높이는 122.5 m이고, 나무의 높이는 건물 높이의 $\frac{1}{100}$ 입니다. 나무의 높이는 몇 m일까요?

답 : _____

🌸 수 카드로 조건에 맞는 소수를 만들어 보세요.

⭐ 주어진 수 카드를 한 번씩 모두 사용하여 만들 수 있는 가장 작은 소수 한 자리 수를 구하세요.

답 : 12.7

12.7 — 17.2 — 21.7 — 27.1 — 71.2 — 72.1

① 주어진 수 카드를 한 번씩 모두 사용하여 만들 수 있는 가장 큰 소수 두 자리 수를 구하세요.

답 : _____

② 주어진 수 카드를 한 번씩 모두 사용하여 만들 수 있는 가장 큰 소수 두 자리 수를 구하세요.

답 : _____

③ 주어진 수 카드를 한 번씩 모두 사용하여 만들 수 있는 가장 작은 소수 세 자리 수를 구하세요.

3 . 0 1 5

답 : _____

소수점의 위치와 소수의 크기 조건을 잘 따져봐야 해.

✿ 조건을 모두 만족하는 소수를 구하세요.

☆
- 2보다 크고 3보다 작은 소수 두 자리 수입니다.
- 소수 첫째 자리 숫자는 0입니다.
- 소수 둘째 자리 숫자는 7입니다.

답 : **2.07**

2보다 크고 3보다 작은 소수 두 자리 수의 일의 자리 숫자는 2입니다.

①
- 4보다 크고 5보다 작은 소수 두 자리 수입니다.
- 소수 첫째 자리 숫자는 8입니다.
- 소수 둘째 자리 숫자는 일의 자리와 같습니다.

답 : _____

②
- 3보다 크고 4보다 작은 소수 세 자리 수입니다.
- 소수 첫째 자리 숫자는 4입니다.
- 소수 둘째 자리 숫자는 5입니다.
- 소수 셋째 자리 숫자는 9입니다.

답 : _____

③
- 1보다 작은 소수 세 자리 수입니다.
- 0.2보다 크고 0.3보다 작습니다.
- 0.27보다 크고 0.28보다 작습니다.
- 소수 셋째 자리 숫자는 6입니다.

답 : _____

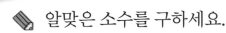 알맞은 소수를 구하세요.

① 1이 6개, 0.01이 2개인 수는 얼마일까요?

답 : _____

② 10이 8개, 1이 3개, $\frac{1}{10}$ 이 9개, $\frac{1}{100}$ 이 7개인 수는 얼마일까요?

답 : _____

③ 1이 2개, 0.01이 8개, 0.001이 9개인 수는 얼마일까요?

답 : _____

④ $\frac{1}{10}$ 이 5개, $\frac{1}{1000}$ 이 3개인 수는 얼마일까요?

답 : _____

⑤ 1이 2개, $\frac{1}{10}$ 이 4개, $\frac{1}{100}$ 이 4개, $\frac{1}{1000}$ 이 6개인 수는 얼마일까요?

답 : _____

✏️ 다음 물음에 답하세요.

⑥ 한라산의 높이는 1.947 km이고, 지리산의 높이는 1.915 km입니다. 두 산 중 더 높은 산은 무엇일까요?

답 : _____

⑦ 100 m 달리기 기록이 희재는 17.5초, 상우는 17.28초입니다. 두 사람 중 더 빠른 사람은 누구일까요?

답 : _____

✏️ 다음 물음에 답하세요.

⑧ 단추의 지름은 1.45 cm이고, 하라의 키는 단추 지름의 100배입니다. 하라의 키는 몇 cm일까요?

답 : _____

⑨ 마트에서 산 돼지고기 2.76 kg 중 $\frac{1}{10}$을 김치찌개에 넣었습니다. 김치찌개에 넣은 돼지고기는 몇 kg일까요?

답 : _____

✎ 조건을 모두 만족하는 소수를 구하세요.

⑩
- 6보다 크고 7보다 작은 소수 두 자리 수입니다.
- 소수 첫째 자리 숫자는 일의 자리보다 1 큽니다.
- 소수 둘째 자리 숫자는 일의 자리보다 2 작습니다.

답 : _____

⑪
- 10보다 크고 11보다 작은 소수 두 자리 수입니다.
- 소수 첫째 자리 숫자는 5입니다.
- 소수 둘째 자리 숫자는 십의 자리보다 1 큽니다.

답 : _____

⑫
- 5보다 크고 6보다 작은 소수 세 자리 수입니다.
- 소수 첫째 자리 숫자는 6입니다.
- 소수 둘째 자리 숫자는 8입니다.
- 소수 셋째 자리 숫자는 소수 둘째 자리보다 큽니다.

답 : _____

⑬
- 1보다 크고 2보다 작은 소수 세 자리 수입니다.
- 1.2보다 큽니다.
- 1.21보다 작습니다.
- 소수 셋째 자리 숫자는 일의 자리보다 3 큽니다.

답 : _____

4주차

소수(2)

소수 한 자리 수의 계산(1)

🌸 세로셈 식을 완성하고 밑줄 친 곳에 알맞은 수를 구하세요.

⭐ 0.7보다 0.8 큰 수는 _____ **1.5** 입니다.

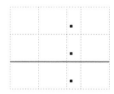

① 2.3보다 1.9 작은 수는 _____ 입니다.

② 3.5에 4.8을 더하면 _____ 입니다.

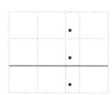

③ 10.6보다 13.7 큰 수는 _____ 입니다.

④ 12.3에서 5.5를 빼면 _____ 입니다.

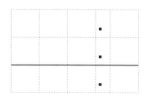

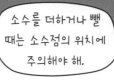

소수를 더하거나 뺄 때는 소수점의 위치에 주의해야 해.

✿ 알맞은 식을 쓰고 답을 구하세요.

★ 길이가 0.5 m인 강낭콩이 두 달 동안 0.6 m 자랐습니다. 강낭콩의 길이는 몇 m가 되었을까요?

식 : ___0.5+0.6=1.1___   답 : ___1.1 m___

(강낭콩의 길이)

= (두 달 전 강낭콩의 길이) + (자란 길이)

① 마트에서 생수 2.8 L와 우유 1.2 L를 샀습니다. 마트에서 산 생수와 우유는 모두 몇 L일까요?

식 : _____   답 : _____

② 재민이가 가진 연필의 길이는 10.7 cm이고, 형태가 가진 연필은 재민이의 연필보다 4.6 cm 더 깁니다. 형태가 가진 연필의 길이는 몇 cm일까요?

식 : _____   답 : _____

③ 고추장 15.5 kg에 된장 16.8 kg을 넣어 쌈장을 만들었습니다. 쌈장의 무게는 몇 kg일까요?

식 : _____   답 : _____

🎨 알맞은 식을 쓰고 답을 구하세요.

⭐ 마트에서 사 온 주스 1.5 L 중 0.7 L를 마셨습니다. 남은 주스는 몇 L일까요?

식 :   1.5-0.7=0.8   답 :   0.8 L

(남은 주스의 양)

= (원래 있던 주스의 양) – (마신 주스의 양)

① 강아지의 몸무게는 4.5 kg, 고양이의 몸무게는 2.3 kg입니다. 강아지는 고양이보다 몇 kg 더 무거울까요?

식 :   답 :

② 길이가 12.7 cm인 초에 불을 붙였더니 10분 동안 5.3 cm 줄어들었습니다. 초의 길이는 몇 cm가 되었을까요?

식 :   답 :

③ 영지네 집에 쌀이 26.4 kg 있고, 잡곡은 쌀보다 21.9 kg 더 적게 있습니다. 영지네 집에 있는 잡곡의 무게는 몇 kg일까요?

식 :   답 :

소수점의 위치를
맞춘 세로 계산식으로
계산하면 편리해.

🎨 알맞은 풀이를 쓰고 답을 구하세요.

☆ 식당에서 햄버거 패티를 만드는 데 소고기 4.4 kg, 돼지고기 7.1 kg을 사용하였습니다. 식당에서 사용한 소고기와 돼지고기는 모두 몇 kg일까요?

풀이 : (식당에서 사용한 고기의 무게)
= (소고기의 무게) + (돼지고기의 무게)
= 4.4 + 7.1 = 11.5 (kg)

답 : __11.5 kg__

① 냉장고에 우유가 6.7 L 들어 있고, 생수는 우유보다 1.5 L 더 많습니다. 냉장고에 있는 생수는 몇 L일까요?

풀이 :

답 : _____

② 세희가 가진 공책의 가로 길이는 29.5 cm이고, 세로 길이는 37.8 cm입니다. 공책의 세로는 가로보다 몇 cm 더 길까요?

풀이 :

답 : _____

🐝 세로셈 식을 완성하고 밑줄 친 곳에 알맞은 수를 구하세요.

⭐ 4.75에서 2.36을 빼면 ___2.39___ 입니다.

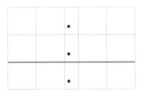

① 0.98보다 2.34 큰 수는 _____ 입니다.

② 7.5에서 1.78을 빼면 _____ 입니다.

③ 15.6에 4.38을 더하면 _____ 입니다.

④ 26.45에서 9.78을 빼면 _____ 입니다.

같은 자리 숫자의 합이
10이거나 10보다 크면
받아올림해야 해.

🐝 **알맞은 식을 쓰고 답을 구하세요.**

✪ 식탁 위에 두부 ⟨0.75⟩ kg과 된장 ⟨1.3⟩ kg이 있습니다. 식탁 위에 있는 두부와 된장은 모두 몇 kg일까요?

식 : _____0.75+1.3=2.05_____   답 : ____2.05___ kg

(두부와 된장의 무게)
= (두부의 무게) + (된장의 무게)

① 소금물이 2.23 L 있고, 설탕물은 소금물보다 3.68 L 더 많습니다. 설탕물은 몇 L 있을까요?

식 : _____   답 : _____

② 안방에서 화장실까지의 거리는 6.9 m이고, 화장실에서 식탁까지의 거리는 13.35 m입니다. 안방에서 화장실을 거쳐 식탁까지 가는 거리는 몇 m일까요?

식 : _____   답 : _____

③ 호두 36.72 kg을 무게가 2.08 kg인 상자에 넣었습니다. 호두가 들어 있는 상자의 무게는 몇 kg일까요?

식 : _____   답 : _____

🍪 알맞은 식을 쓰고 답을 구하세요.

✪ 민지의 키는 1.42 m이고, 동생의 키는 민지의 키보다 0.15 m 더 작습니다. 동생의 키는 몇 m일까요?

식 : <u>　　　1.42-0.15=1.27　　　</u>　　　답 : <u>　1.27 m　</u>

(동생의 키)

= (민지의 키) – (민지보다 작은 키)

① 책이 들어 있는 가방의 무게는 3.4 kg입니다. 빈 가방의 무게가 0.55 kg일 때 책의 무게는 몇 kg일까요?

식 : <u>　　　　　　　　　　　</u>　　　답 : <u>　　　　　　　</u>

② 태곤이의 100 m 달리기 기록은 18.68초이고, 주현이의 기록은 17.8초입니다. 주현이의 기록은 태곤이보다 몇 초 더 빠를까요?

식 : <u>　　　　　　　　　　　</u>　　　답 : <u>　　　　　　　</u>

③ 연주네 가족은 사흘 동안 우유 14.5 L 중 7.65 L를 마셨습니다. 남은 우유는 몇 L일까요?

식 : <u>　　　　　　　　　　　</u>　　　답 : <u>　　　　　　　</u>

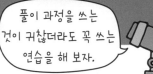

풀이 과정을 쓰는 것이 귀찮더라도 꼭 쓰는 연습을 해 보자.

알맞은 풀이를 쓰고 답을 구하세요.

☆ 어느 날 저녁에 잰 두현이의 몸무게는 41.7 kg이었고, 다음 날 아침에 잰 몸무게는 전 날보다 0.45 kg 더 줄었습니다. 아침에 잰 두현이의 몸무게는 몇 kg일까요?

풀이 : (아침에 잰 몸무게)
= (저녁에 잰 몸무게) - (줄어든 몸무게)
= 41.7 - 0.45 = 41.25 (kg)

답 : __41.25 kg__

① 비커에 물 30.55mL와 기름 27.95mL가 들어 있습니다. 비커에 들어 있는 물은 기름보다 몇 mL 더 많을까요?

풀이 :

답 : _____

② 은화의 무게는 7.47 g이고, 금화의 무게는 은화보다 1.39 g 더 무겁습니다. 금화의 무게는 몇 g일까요?

풀이 :

답 : _____

✿ 알맞은 풀이를 쓰고 답을 구하세요.

✪ 세미의 키는 1.47 m이고, 오현이의 키는 142 cm입니다. 세미는 오현이보다 몇 m 더 클까요?

풀이 : (오현이의 키) = 142 cm = 1.42 m

(두 사람의 키의 차)

= (세미의 키) − (오현이의 키)

= 1.47 − 1.42 = 0.05 (m)

답 : ___0.05 m___

① 쌀통에 쌀 3250 g과 잡곡 1.08kg이 들어 있습니다. 쌀통에 들어 있는 쌀과 잡곡은 모두 몇 kg일까요?

풀이 :

답 : _____

② 마트에서 주스 1.65 L를 샀고, 우유는 주스보다 750 mL 더 샀습니다. 마트에서 산 우유는 몇 L일까요?

풀이 :

답 : _____

③ 현민이네 집에서 학교까지의 거리는 3.75km입니다. 현민이가 집에서 출발하여 960 m는 걸어가고 나머지 거리는 자전거를 타고 갔습니다. 현민이가 자전거를 타고 간 거리는 몇 km일까요?

풀이 :

답 : _____

확인학습

✎ 알맞은 식을 쓰고 답을 구하세요.

① 나영이는 밤을 3.5 kg 주웠고, 다혜는 나영이보다 1.3 kg 더 주웠습니다. 다혜가 주운 밤은 몇 kg일까요?

식 : _____ 답 : _____

② 주영이는 아침에 0.8 km를 뛰었고, 저녁에 1.5km를 뛰었습니다. 주영이가 하루 동안 뛴 거리는 몇 km일까요?

식 : _____ 답 : _____

③ 하연이가 가진 색 테이프의 길이는 2.9 m이고, 호진이는 하연이보다 1.5 m 더 짧은 색 테이프를 가지고 있습니다. 호진이가 가진 색 테이프는 몇 m일까요?

식 : _____ 답 : _____

④ 식당에 있는 식용유 16 L 중 3.3 L를 사용했습니다. 식당에 남은 식용유는 몇 L일까요?

식 : _____ 답 : _____

✏️ 알맞은 식을 쓰고 답을 구하세요.

⑤ 사과의 무게는 1.77 kg이고, 배의 무게는 사과보다 1.68 kg 더 무겁습니다. 배의 무게는 몇 kg일까요?

식 : _____ 답 : _____

⑥ 해민이가 깃발이 있는 곳까지 달려가는 데 13.75초, 돌아오는 데 17.45초가 걸렸습니다. 깃발이 있는 곳까지 달려가서 돌아오는 데 걸린 시간은 몇 초일까요?

식 : _____ 답 : _____

⑦ 소은이가 가진 자의 길이는 34.5 cm이고, 가위의 길이는 18.35 cm입니다. 소은이가 가진 자는 가위보다 몇 cm 더 길까요?

식 : _____ 답 : _____

⑧ 딱풀의 무게는 28.35g인데 뚜껑을 빼고 잰 무게는 24.75g이었습니다. 딱풀 뚜껑의 무게는 몇 g일까요?

식 : _____ 답 : _____

✎ 알맞은 풀이를 쓰고 답을 구하세요.

⑨ 성준이가 종이학을 접는 데 3.5분이 걸렸고, 종이개구리를 접는 데 2분 30초가 걸렸습니다. 성준이가 종이학을 접은 시간은 종이개구리를 접은 시간보다 몇 분 더 길까요?

풀이 :

답 : _____

⑩ 한 달 전 기훈이의 몸무게는 40.35 kg이었는데 한 달 동안 몸무게가 1450 g 늘어났습니다. 현재 기훈이의 몸무게는 몇 kg일까요?

풀이 :

답 : _____

진단평가

진단평가에는 앞에서 학습한 4주차의 문장제 활동이 순서대로 나옵니다. 잘못 푼 문제가 있으면 몇 주차인지 확인하여 반드시 한 번 더 복습해 봅니다.

1주차	3주차
2주차	4주차

✎ 알맞은 식을 쓰고 답을 구하세요.

① 송현이는 우유 $\frac{3}{8}$ L, 주스 $\frac{2}{8}$ L를 마셨습니다. 송현이가 마신 우유와 주스는 모두 몇 L일까요?

식 : _____   답 : _____

② 혜진이는 어제 책을 $\frac{5}{6}$ 시간 읽었고, 오늘은 어제보다 $\frac{4}{6}$ 시간 더 읽었습니다. 혜진이가 오늘 책을 읽은 시간은 몇 시간일까요?

식 : _____   답 : _____

✎ □가 있는 식을 쓰고 답을 구하세요.

③ 민진이가 종이접기를 하기로 한 시간 $5\frac{2}{6}$ 분 중 몇 분 동안 종이학을 접었더니 $3\frac{1}{6}$ 분이 남았습니다. 민진이가 종이학을 접는 데 쓴 시간은 몇 분일까요?

식 : _____   답 : _____

④ 수조에 물이 $\frac{6}{9}$ L 들어 있었는데 얼마를 더 부었더니 수조에 있는 물이 $4\frac{4}{9}$ L가 되었습니다. 수조에 더 부은 물은 몇 L일까요?

식 : _____   답 : _____

✎ 밑줄 친 곳에 알맞은 수를 써넣으세요.

⑤ 1.68의 10배는 _____ 이고, 100배는 _____ 입니다.

⑥ 0.9의 $\frac{1}{10}$은 _____ 이고, $\frac{1}{100}$은 _____ 입니다.

⑦ 28.3의 $\frac{1}{10}$은 _____ 이고, $\frac{1}{100}$은 _____ 입니다.

✎ 알맞은 식을 쓰고 답을 구하세요.

⑧ 현우가 가진 철사의 길이는 7.07 m이고, 상호가 가진 철사의 길이는 4.61 m입니다. 두 사람이 가진 철사의 길이의 합은 몇 m일까요?

식 : _____ 답 : _____

⑨ 무게가 9.93 g인 줄에 무게가 13.24 g인 펜던트를 매달아 목걸이를 만들었습니다. 목걸이의 무게는 몇 g일까요?

식 : _____ 답 : _____

✎ 알맞은 식을 쓰고 답을 구하세요.

① 다혜네 집에서 도서관까지의 거리는 $\frac{5}{6}$ km입니다. 다혜가 집에서 도서관까지 $\frac{3}{6}$ km를 걸어갔다면 남은 거리는 몇 km일까요?

식 : _____   답 : _____

② 시우네 집 강아지는 몸무게가 $\frac{4}{7}$ kg 늘었고, 고양이는 강아지보다 몸무게가 $\frac{2}{7}$ kg 적게 늘었습니다. 시우네 집 고양이의 몸무게는 몇 kg 늘었을까요?

식 : _____   답 : _____

✎ 알맞은 식을 쓰고 답을 구하세요.

③ 지원이가 기르는 고양이의 몸무게는 $2\frac{5}{8}$ kg이었는데 하루 동안 $\frac{1}{8}$ kg 줄었습니다. 고양이의 몸무게는 몇 kg일까요?

식 : _____   답 : _____

④ 미술 시간에 색 테이프 $5\frac{4}{5}$ m 중 $5\frac{2}{5}$ m를 사용했습니다. 남은 색 테이프는 몇 m일까요?

식 : _____   답 : _____

✎ 수 카드로 조건에 맞는 소수를 만들어 보세요.

⑤ 주어진 수 카드를 한 번씩 모두 사용하여 만들 수 있는 가장 작은 소수 두 자리 수를 구하세요.

3 . 0 8

답 : _____

⑥ 주어진 수 카드를 한 번씩 모두 사용하여 만들 수 있는 가장 큰 소수 세 자리 수를 구하세요.

1 2 6 . 7

답 : _____

✎ 알맞은 식을 쓰고 답을 구하세요.

⑦ 집에서 도서관까지의 거리는 3.6 km이고, 집에서 병원까지의 거리는 2.75 km입니다. 도서관은 병원보다 집에서 몇 km 더 멀까요?

식 : _____   답 : _____

⑧ 수애는 물 속에서 45.27초 동안 숨을 참았고, 신지는 수애보다 6.43초 더 짧게 숨을 참았습니다. 신지가 물 속에서 숨을 참은 시간은 몇 초일까요?

식 : _____   답 : _____

✎ 알맞은 식을 쓰고 답을 구하세요.

① 준우는 1시간 동안 공부를 했는데 $\frac{5}{6}$ 시간은 수학 공부를 하고, 나머지는 국어 공부를 했습니다. 준우가 국어 공부를 한 시간은 몇 시간일까요?

식 : _____　　답 : _____

② 연서는 몸무게를 $\frac{3}{10}$ kg 줄였고, 서준이는 몸무게를 1 kg 줄였습니다. 서준이는 연서보다 몸무게를 몇 kg 더 줄였을까요?

식 : _____　　답 : _____

✎ 알맞은 식을 쓰고 답을 구하세요.

③ 식당에 식용유가 3 L 있고, 참기름은 식용유보다 $1\frac{8}{12}$ L 더 적게 있습니다. 식당에 있는 참기름은 몇 L일까요?

식 : _____　　답 : _____

④ 무게가 8 kg인 수박을 $5\frac{2}{7}$ kg 먹고 나머지는 껍질로 버렸습니다. 버린 수박 껍질의 무게는 몇 kg일까요?

식 : _____　　답 : _____

✎ 알맞은 소수를 구하세요.

⑤ 10이 2개, 1이 5개, 0.01이 4개인 수는 얼마일까요?

답 : _____

⑥ 1이 4개, $\frac{1}{10}$ 이 4개, $\frac{1}{100}$ 이 6개인 수는 얼마일까요?

답 : _____

✎ 알맞은 풀이를 쓰고 답을 구하세요.

⑦ 레이가 가진 색 테이프 4.6 m 중 237 cm를 사용하였습니다. 레이에게 남은 색 테이프는 몇 m일까요?

풀이 :

답 : _____

✎ 알맞은 풀이를 쓰고 답을 구하세요.

① 해수는 철사 1 m 를 사서 우찬이에게 $\frac{6}{8}$ m를 나누어 주었습니다. 해수에게 남은 철사는 몇 m일까요?

풀이 :

답 : _____

✎ 알맞은 식을 쓰고 답을 구하세요.

② 지웅이가 기르는 강아지의 몸무게는 $5\frac{6}{12}$ kg이고, 고양이는 강아지보다 $1\frac{8}{12}$ kg 더 가볍습니다. 지웅이가 기르는 고양이의 몸무게는 몇 kg일까요?

식 : _____   답 : _____

③ 화선이가 냉장고에 있던 치즈 $3\frac{1}{3}$개 중에 $\frac{2}{3}$개를 먹었습니다. 냉장고에 남은 치즈는 몇 개일까요?

식 : _____   답 : _____

✎ 다음 물음에 답하세요.

④ 병에 들어 있는 주스의 양은 0.01이 235개인 수입니다. 병에 들어 있는 주스의 양은 몇 L일까요?

답 : _____

⑤ 어린이 마라톤 코스의 길이는 0.001이 8402개인 수입니다. 어린이 마라톤 코스의 길이는 몇 km일까요?

답 : _____

✎ 알맞은 식을 쓰고 답을 구하세요.

⑥ 달팽이가 1분 동안 1.7 cm 움직이고, 다음 1분 동안 3.2 cm 움직였습니다. 달팽이가 2분 동안 움직인 거리는 몇 cm일까요?

식 : _____   답 : _____

⑦ 작년에 수아의 몸무게는 22.5 kg이었는데 일 년 동안 2.6kg 더 늘었습니다. 올해 수아의 몸무게는 몇 kg일까요?

식 : _____   답 : _____

✏️ 알맞은 식을 쓰고 답을 구하세요.

① 냉장고에 우유가 $3\frac{2}{3}$ L 들어 있었는데 $1\frac{1}{3}$ L를 더 사서 넣었습니다. 냉장고에 있는 우유는 모두 몇 L일까요?

식 : _____   답 : _____

② 세람이는 당근을 $2\frac{5}{12}$ kg 캤고, 아람이는 $4\frac{9}{12}$ kg 캤습니다. 두 사람이 캔 당근은 모두 kg일까요?

식 : _____   답 : _____

✏️ 알맞은 풀이를 쓰고 답을 구하세요.

③ 목공소에서 5 m 길이의 나무 막대를 사서 깃봉을 만드는 데 $4\frac{3}{9}$ m를 사용했습니다. 남은 나무 막대의 길이는 몇 m일까요?

풀이 :

답 : _____

✎ 다음 물음에 답하세요.

④ 영재가 가진 색 테이프의 길이는 8.45 m, 상아가 가진 색 테이프의 길이는 8.425 m입니다. 두 사람 중 가지고 있는 색 테이프의 길이가 더 긴 사람은 누구일까요?

답 : _____

⑤ 고양이의 몸무게는 2.308 kg, 토끼의 몸무게는 2.24 kg입니다. 고양이와 토끼 중 더 가벼운 동물은 무엇일까요?

답 : _____

✎ 알맞은 식을 쓰고 답을 구하세요.

⑥ 송이는 집에서 자전거를 타고 6.1 km 를 갔다가 다시 0.7 km만큼 돌아왔습니다. 송이는 집에서 몇 km 떨어져 있을까요?

식 : _____   답 : _____

⑦ 목걸이의 무게는 17.5 g이고, 반지의 무게는 12.8 g입니다. 목걸이는 반지보다 몇 g 더 무거울까요?

식 : _____   답 : _____

Memo

하 루 1 0 분 서 술 형 / 문 장 제 학 습 지

씨투엠

수학
독해

정답

D3
분수와 소수

초4~초5

Creative to Math

씨투엠

정답

D3 분수와 소수
초4~초5

P 06 ~ 07

1일 진분수의 덧셈

분모가 같은 분수를 더할 때는 분모는 그대로 두고 분자끼리 더해.

빈칸에 알맞은 수를 써넣으세요.

○ $\frac{3}{4}$은 $\frac{1}{4}$이 $\boxed{3}$개, $\frac{2}{4}$는 $\frac{1}{4}$이 $\boxed{2}$개이므로 $\frac{3}{4}+\frac{2}{4}$는 $\frac{1}{4}$이 모두 $\boxed{5}$개입니다.

⇨ $\frac{3}{4}+\frac{2}{4}=\frac{\boxed{3}+\boxed{2}}{4}=\frac{\boxed{5}}{4}=1\frac{\boxed{1}}{4}$

① $\frac{4}{5}$는 $\frac{1}{5}$이 $\boxed{4}$개, $\frac{3}{5}$은 $\frac{1}{5}$이 $\boxed{3}$개이므로 $\frac{4}{5}+\frac{3}{5}$은 $\frac{1}{5}$이 모두 $\boxed{7}$개입니다.

⇨ $\frac{4}{5}+\frac{3}{5}=\frac{\boxed{4}+\boxed{3}}{5}=\frac{\boxed{7}}{5}=1\frac{\boxed{2}}{5}$

② $\frac{3}{6}$은 $\frac{1}{6}$이 $\boxed{3}$개, $\frac{5}{6}$는 $\frac{1}{6}$이 $\boxed{5}$개이므로 $\frac{3}{6}+\frac{5}{6}$는 $\frac{1}{6}$이 모두 $\boxed{8}$개입니다.

⇨ $\frac{3}{6}+\frac{5}{6}=\frac{\boxed{3}+\boxed{5}}{6}=\frac{\boxed{8}}{6}=1\frac{\boxed{2}}{6}$

③ $\frac{5}{9}$는 $\frac{1}{9}$이 $\boxed{5}$개, $\frac{2}{9}$는 $\frac{1}{9}$이 $\boxed{2}$개이므로 $\frac{5}{9}+\frac{2}{9}$는 $\frac{1}{9}$이 모두 $\boxed{7}$개입니다.

⇨ $\frac{5}{9}+\frac{2}{9}=\frac{\boxed{5}+\boxed{2}}{9}=\frac{\boxed{7}}{9}$

알맞은 식을 쓰고 답을 구하세요.

○ 냉장고에 돼지고기 $\frac{4}{5}$ kg, 소고기 $\frac{3}{5}$ kg이 있습니다. 냉장고에 있는 돼지고기와 소고기는 모두 몇 kg일까요?

식 : $\frac{4}{5}+\frac{3}{5}=1\frac{2}{5}$
(냉장고에 있는 고기의 무게)
= (돼지고기의 무게) + (소고기의 무게)

답 : $1\frac{2}{5}$ kg

① 진호는 어제 빵 $\frac{3}{6}$개를 먹었고, 오늘은 빵을 $\frac{2}{6}$개 먹었습니다. 진호가 이틀 동안 먹은 빵은 몇 개일까요?

식 : $\frac{3}{6}+\frac{2}{6}=\frac{5}{6}$

답 : $\frac{5}{6}$개

② 학교에서 마트까지의 거리는 $\frac{7}{8}$ km이고, 공원까지의 거리는 마트까지의 거리보다 $\frac{5}{8}$ km 더 멉니다. 학교에서 공원까지의 거리는 몇 km일까요?

식 : $\frac{7}{8}+\frac{5}{8}=1\frac{4}{8}$

답 : $1\frac{4}{8}$ km

③ 자욱이가 집에서 학교까지 가는 데 $\frac{4}{7}$시간이 걸립니다. 자욱이가 학교에 갔다가 돌아오는 데 걸리는 시간은 몇 시간일까요?

식 : $\frac{4}{7}+\frac{4}{7}=1\frac{1}{7}$

답 : $1\frac{1}{7}$시간

P 08 ~ 09

2일 진분수의 뺄셈

분모가 같은 분수를 뺄 때는 분모는 그대로 두고 분자끼리 빼.

빈칸에 알맞은 수를 써넣으세요.

○ $\frac{4}{5}$는 $\frac{1}{5}$이 $\boxed{4}$개, $\frac{3}{5}$은 $\frac{1}{5}$이 $\boxed{3}$개이므로 $\frac{4}{5}-\frac{3}{5}$은 $\frac{1}{5}$이 모두 $\boxed{1}$개입니다.

⇨ $\frac{4}{5}-\frac{3}{5}=\frac{\boxed{4}-\boxed{3}}{5}=\frac{\boxed{1}}{5}$

① $\frac{5}{6}$는 $\frac{1}{6}$이 $\boxed{5}$개, $\frac{1}{6}$은 $\frac{1}{6}$이 $\boxed{1}$개이므로 $\frac{5}{6}-\frac{1}{6}$은 $\frac{1}{6}$이 모두 $\boxed{4}$개입니다.

⇨ $\frac{5}{6}-\frac{1}{6}=\frac{\boxed{5}-\boxed{1}}{6}=\frac{\boxed{4}}{6}$

② $\frac{6}{8}$은 $\frac{1}{8}$이 $\boxed{6}$개, $\frac{3}{8}$은 $\frac{1}{8}$이 $\boxed{3}$개이므로 $\frac{6}{8}-\frac{3}{8}$은 $\frac{1}{8}$이 모두 $\boxed{3}$개입니다.

⇨ $\frac{6}{8}-\frac{3}{8}=\frac{\boxed{6}-\boxed{3}}{8}=\frac{\boxed{3}}{8}$

③ $\frac{9}{12}$는 $\frac{1}{12}$이 $\boxed{9}$개, $\frac{5}{12}$는 $\frac{1}{12}$이 $\boxed{5}$개이므로 $\frac{9}{12}-\frac{5}{12}$는 $\frac{1}{12}$이 모두 $\boxed{4}$개입니다. ⇨ $\frac{9}{12}-\frac{5}{12}=\frac{\boxed{9}-\boxed{5}}{12}=\frac{\boxed{4}}{12}$

알맞은 식을 쓰고 답을 구하세요.

○ 연우는 포장용 끈 $\frac{8}{9}$ m 중 $\frac{4}{9}$ m를 선물 포장에 사용했습니다. 남은 포장용 끈은 몇 m일까요?

식 : $\frac{8}{9}-\frac{4}{9}=\frac{4}{9}$
(남은 포장용 끈의 길이)
= (처음에 있던 끈의 길이) - (사용한 끈의 길이)

답 : $\frac{4}{9}$ m

① 경주는 피자를 $\frac{6}{8}$판 먹었고, 지호는 $\frac{4}{8}$판 먹었습니다. 경주는 지호보다 피자를 몇 판 더 먹었을까요?

식 : $\frac{6}{8}-\frac{4}{8}=\frac{2}{8}$

답 : $\frac{2}{8}$판

② 진주는 $\frac{11}{12}$시간 동안 산책을 했는데 $\frac{3}{12}$시간 동안 뛰고 나머지 시간은 걸었습니다. 진주가 걸은 시간은 몇 시간일까요?

식 : $\frac{11}{12}-\frac{3}{12}=\frac{8}{12}$

답 : $\frac{8}{12}$시간

③ 호영이는 우유를 $\frac{6}{7}$병 마셨고, 준호는 호영이보다 $\frac{1}{7}$병 덜 마셨습니다. 준호가 마신 우유는 몇 병일까요?

식 : $\frac{6}{7}-\frac{1}{7}=\frac{5}{7}$

답 : $\frac{5}{7}$병

P 10 ~ 11

3일 1-(진분수)

1을 분모와 분자가
같은 가분수로 바꾸어서
계산하면 돼.

🐚 빈칸에 알맞은 수를 써넣으세요.

○ 1은 $\frac{1}{7}$이 $\boxed{7}$개, $\frac{5}{7}$는 $\frac{1}{7}$이 $\boxed{5}$개이므로 1-$\frac{5}{7}$는 $\frac{1}{7}$이 모두 $\boxed{2}$개입니다.

⇒ 1-$\frac{5}{7}$=$\frac{\boxed{7}-\boxed{5}}{7}$=$\frac{\boxed{2}}{7}$

① 1은 $\frac{1}{3}$이 $\boxed{3}$개, $\frac{2}{3}$는 $\frac{1}{3}$이 $\boxed{2}$개이므로 1-$\frac{2}{3}$는 $\frac{1}{3}$이 모두 $\boxed{1}$개입니다.

⇒ 1-$\frac{2}{3}$=$\frac{\boxed{3}-\boxed{2}}{3}$=$\frac{\boxed{1}}{3}$

② 1은 $\frac{1}{6}$이 $\boxed{6}$개, $\frac{2}{6}$는 $\frac{1}{6}$이 $\boxed{2}$개이므로 1-$\frac{2}{6}$는 $\frac{1}{6}$이 모두 $\boxed{4}$개입니다.

⇒ 1-$\frac{2}{6}$=$\frac{\boxed{6}-\boxed{2}}{6}$=$\frac{\boxed{4}}{6}$

③ 1은 $\frac{1}{8}$이 $\boxed{8}$개, $\frac{3}{8}$은 $\frac{1}{8}$이 $\boxed{3}$개이므로 1-$\frac{3}{8}$은 $\frac{1}{8}$이 모두 $\boxed{5}$개입니다.

⇒ 1-$\frac{3}{8}$=$\frac{\boxed{8}-\boxed{3}}{8}$=$\frac{\boxed{5}}{8}$

🐚 알맞은 식을 쓰고 답을 구하세요.

○ 주민이는 빵 1개를 사서 $\frac{3}{4}$개를 먹었습니다. 남은 빵은 얼마일까요?

식 : $\underset{\text{(남은 빵의 양)}}{1-\frac{3}{4}=\frac{1}{4}}$ 답 : $\frac{1}{4}$개

= (원래 산던 빵의 양) - (먹은 빵의 양)

① 정육점에서 산 소고기 1 kg 중 $\frac{5}{8}$ kg을 먹었습니다. 남은 소고기는 몇 kg일까요?

식 : $1-\frac{5}{8}=\frac{3}{8}$ 답 : $\frac{3}{8}$ kg

② 홍철이는 1시간 동안 운동을 했고, 준하는 $\frac{8}{11}$시간 동안 운동을 했습니다. 홍철이는 준하보다 몇 시간 더 운동을 했을까요?

식 : $1-\frac{8}{11}=\frac{3}{11}$ 답 : $\frac{3}{11}$시간

③ 길이가 1 m인 리본 중 $\frac{2}{6}$ m를 잘라서 썼습니다. 남은 리본의 길이는 몇 m일까요?

식 : $1-\frac{2}{6}=\frac{4}{6}$ 답 : $\frac{4}{6}$ m

P 12 ~ 13

4일 진분수의 덧셈과 뺄셈

분수 계산에서 답이
가분수가 나오면 대분수
로 고치는 것이 좋아.

🐚 알맞은 풀이를 쓰고 답을 구하세요.

○ 수연이는 가족 농장에서 감자를 $\frac{2}{5}$ kg 캤고, 고구마를 $\frac{3}{5}$ kg 캤습니다. 수연이가 캔 감자와 고구마는 모두 몇 kg일까요?

풀이 : (감자와 고구마의 양)
= (감자의 양) + (고구마의 양)
= $\frac{2}{5}+\frac{3}{5}$ = 1 (kg)

답 : 1 kg

② 생수 1병을 사서 태민이가 $\frac{1}{6}$병을 마시고, 나머지는 형진이가 마셨습니다. 형진이가 마신 생수는 몇 병일까요?

풀이 : (형진이가 마신 생수의 양)
= (전체 생수의 양) - (태민이가 마신 생수의 양)
= $1-\frac{1}{6}=\frac{5}{6}$(병)

답 : $\frac{5}{6}$병

① 주영이는 철사를 $\frac{3}{4}$ m 썼고, 건희는 주영이보다 $\frac{2}{4}$ m 더 썼습니다. 건희가 쓴 철사는 몇 m일까요?

풀이 : (건희가 쓴 철사의 길이)
= (주영이가 쓴 철사의 길이) + (주영이보다 더 쓴 길이)
= $\frac{3}{4}+\frac{2}{4}$ = $1\frac{1}{4}$(m)

답 : $1\frac{1}{4}$ m

③ 주호는 $\frac{13}{15}$시간 동안 공부를 했고, $\frac{4}{15}$시간 동안 운동을 했습니다. 주호가 공부를 한 시간은 운동을 한 시간보다 몇 시간 더 길까요?

풀이 : (공부를 한 시간과 운동을 한 시간의 차)
= (공부를 한 시간) - (운동을 한 시간)
= $\frac{13}{15}-\frac{4}{15}=\frac{9}{15}$(시간)

답 : $\frac{9}{15}$시간

P 14 ~ 15

5일 대분수의 덧셈

> 자연수와 분수를 각각
> 계산하는 방법과
> 가분수로 고쳐서 계산
> 하는 방법이 있어.

🌸 2가지 방법으로 계산해 보세요.

○ **방법1** $3\frac{2}{3} + 2\frac{2}{3} = (\boxed{3} + \boxed{2}) + (\frac{\boxed{2}}{3} + \frac{\boxed{2}}{3}) = \boxed{5} + \frac{\boxed{4}}{3}$

$= \boxed{5} + 1\frac{\boxed{1}}{3} = 6\frac{\boxed{1}}{3}$

방법2 $3\frac{2}{3} + 2\frac{2}{3} = \frac{\boxed{11}}{3} + \frac{\boxed{8}}{3} = \frac{\boxed{11} + \boxed{8}}{3} = \frac{\boxed{19}}{3} = 6\frac{\boxed{1}}{3}$

① **방법1** $2\frac{4}{5} + 3\frac{3}{5} = (\boxed{2} + \boxed{3}) + (\frac{\boxed{4}}{5} + \frac{\boxed{3}}{5}) = \boxed{5} + \frac{\boxed{7}}{5}$

$= \boxed{5} + 1\frac{\boxed{2}}{5} = 6\frac{\boxed{2}}{5}$

방법2 $2\frac{4}{5} + 3\frac{3}{5} = \frac{\boxed{14}}{5} + \frac{\boxed{18}}{5} = \frac{\boxed{14} + \boxed{18}}{5} = \frac{\boxed{32}}{5} = 6\frac{\boxed{2}}{5}$

② **방법1** $1\frac{5}{6} + 2\frac{4}{6} = (\boxed{1} + \boxed{2}) + (\frac{\boxed{5}}{6} + \frac{\boxed{4}}{6}) = \boxed{3} + \frac{\boxed{9}}{6}$

$= \boxed{3} + 1\frac{\boxed{3}}{6} = 4\frac{\boxed{3}}{6}$

방법2 $1\frac{5}{6} + 2\frac{4}{6} = \frac{\boxed{11}}{6} + \frac{\boxed{16}}{6} = \frac{\boxed{11} + \boxed{16}}{6} = \frac{\boxed{27}}{6} = 4\frac{\boxed{3}}{6}$

🌸 알맞은 식을 쓰고 답을 구하세요.

○ 마트에서 딸기 $2\frac{3}{4}$ kg 토마토 $5\frac{2}{4}$ kg을 샀습니다. 마트에서 산 딸기와 토마토는 모두 몇 kg일까요?

식 : $2\frac{3}{4} + 5\frac{2}{4} = 8\frac{1}{4}$

답 : $8\frac{1}{4}$ kg

① 자동차를 타고 서울에서 천안까지 $1\frac{3}{8}$시간 걸렸고, 천안에서 광주까지 $3\frac{4}{8}$시간 걸렸습니다. 서울에서 광주까지 걸린 시간은 몇 시간일까요?

식 : $1\frac{3}{8} + 3\frac{4}{8} = 4\frac{7}{8}$ 답 : $4\frac{7}{8}$시간

② 주아는 $4\frac{5}{6}$ km를 걸었고, 지혜는 주아보다 $\frac{3}{6}$ km를 더 걸었습니다. 지혜가 걸은 거리는 몇 km일까요?

식 : $4\frac{5}{6} + \frac{3}{6} = 5\frac{2}{6}$ 답 : $5\frac{2}{6}$ km

③ 성주가 종이학 한 마리를 접는 데 $2\frac{3}{10}$분이 걸립니다. 성주가 종이학 2마리를 접는 데 걸리는 시간은 몇 분일까요?

식 : $2\frac{3}{10} + 2\frac{3}{10} = 4\frac{6}{10}$ 답 : $4\frac{6}{10}$분

P 16 ~ 17

확인학습

🖋 알맞은 식을 쓰고 답을 구하세요.

① 선물 하나를 포장하는 데 리본 $\frac{3}{4}$ m가 필요합니다. 선물 2개를 포장하는 데 필요한 리본은 몇 m일까요?

식 : $\frac{3}{4} + \frac{3}{4} = 1\frac{2}{4}$ 답 : $1\frac{2}{4}$ m

② 호식이네 가족은 옥수수를 $\frac{6}{9}$ kg 땄고, 밤은 옥수수보다 $\frac{5}{9}$ kg 더 땄습니다. 호식이네 가족이 딴 밤은 몇 kg일까요?

식 : $\frac{6}{9} + \frac{5}{9} = 1\frac{2}{9}$ 답 : $1\frac{2}{9}$ kg

③ 들이가 각각 $\frac{3}{5}$ L인 컵과 $\frac{2}{5}$ L인 컵이 있습니다. 두 컵의 들이 차는 몇 L일까요?

식 : $\frac{3}{5} - \frac{2}{5} = \frac{1}{5}$ 답 : $\frac{1}{5}$ L

④ 식탁 위에 있던 소시지 $\frac{8}{10}$ kg 중 $\frac{2}{10}$ kg을 먹었습니다. 식탁 위에 남은 소시지는 몇 kg일까요?

식 : $\frac{8}{10} - \frac{2}{10} = \frac{6}{10}$ 답 : $\frac{6}{10}$ kg

🖋 알맞은 식을 쓰고 답을 구하세요.

⑤ 냉장고에 있던 우유 1L 중 $\frac{5}{8}$ L를 마셨습니다. 냉장고에 남은 우유는 몇 L일까요?

식 : $1 - \frac{5}{8} = \frac{3}{8}$ 답 : $\frac{3}{8}$ L

⑥ 우혁이는 한 바퀴의 거리가 1 km인 공원에서 $\frac{7}{12}$ km를 걸었습니다. 우혁이가 한 바퀴를 돌 때까지 남은 거리는 몇 km일까요?

식 : $1 - \frac{7}{12} = \frac{5}{12}$ 답 : $\frac{5}{12}$ km

⑦ 수조에 물이 $\frac{2}{7}$ L 들어 있었는데 물을 $5\frac{4}{7}$ L 더 부었습니다. 수조에 있는 물은 모두 몇 L일까요?

식 : $\frac{2}{7} + 5\frac{4}{7} = 5\frac{6}{7}$ 답 : $5\frac{6}{7}$ L

⑧ 창주는 색 테이프를 $6\frac{2}{9}$ m 사용했고, 상현이는 창주보다 $2\frac{8}{9}$ m 더 사용했습니다. 상현이가 사용한 색 테이프는 몇 m일까요?

식 : $6\frac{2}{9} + 2\frac{8}{9} = 9\frac{1}{9}$ 답 : $9\frac{1}{9}$ m

P 18

확인학습

✎ 알맞은 풀이를 쓰고 답을 구하세요.

⑨ 송이는 어제 $\frac{5}{12}$ 시간 동안 학습지를 풀었고, 오늘은 $\frac{6}{12}$ 시간 동안 학습지를 풀었습니다. 송이가 이틀 동안 학습지를 푼 시간은 몇 시간일까요?

> 풀이 : (이틀 동안 학습지를 푼 시간)
> = (어제 학습지를 푼 시간) + (오늘 학습지를 푼 시간)
> = $\frac{5}{12} + \frac{6}{12} = \frac{11}{12}$ (시간)
>
> 답 : $\frac{11}{12}$ 시간

⑩ 서현이네 집에서 학원까지의 거리는 $\frac{8}{9}$ km입니다. 서현이가 집에서 출발하여 $\frac{3}{9}$ km만큼 갔을 때 학원까지 남은 거리는 몇 km일까요?

> 풀이 : (학원까지 남은 거리)
> = (집에서 학원까지의 거리) − (서현이가 간 거리)
> = $\frac{8}{9} - \frac{3}{9} = \frac{5}{9}$ (km)
>
> 답 : $\frac{5}{9}$ km

분수(2)

P 20 ~ 21

1일 대분수의 뺄셈(1)

🌸 2가지 방법으로 계산해 보세요.

○ 방법1 $5\dfrac{3}{4}-1\dfrac{1}{4}=\left(\boxed{5}-\boxed{1}\right)+\dfrac{\boxed{3}}{4}-\dfrac{\boxed{1}}{4}=\boxed{4}+\dfrac{\boxed{2}}{4}=\boxed{4}\dfrac{\boxed{2}}{4}$

　방법2 $5\dfrac{3}{4}-1\dfrac{1}{4}=\dfrac{\boxed{23}}{4}-\dfrac{\boxed{5}}{4}=\dfrac{\boxed{18}}{4}=\boxed{4}\dfrac{\boxed{2}}{4}$

① 방법1 $4\dfrac{3}{5}-2\dfrac{2}{5}=\left(\boxed{4}-\boxed{2}\right)+\dfrac{\boxed{3}}{5}-\dfrac{\boxed{2}}{5}=\boxed{2}+\dfrac{\boxed{1}}{5}=\boxed{2}\dfrac{\boxed{1}}{5}$

　방법2 $4\dfrac{3}{5}-2\dfrac{2}{5}=\dfrac{\boxed{23}}{5}-\dfrac{\boxed{12}}{5}=\dfrac{\boxed{11}}{5}=\boxed{2}\dfrac{\boxed{1}}{5}$

② 방법1 $6\dfrac{5}{6}-5\dfrac{1}{6}=\left(\boxed{6}-\boxed{5}\right)+\dfrac{\boxed{5}}{6}-\dfrac{\boxed{1}}{6}=\boxed{1}+\dfrac{\boxed{4}}{6}=\boxed{1}\dfrac{\boxed{4}}{6}$

　방법2 $6\dfrac{5}{6}-5\dfrac{1}{6}=\dfrac{\boxed{41}}{6}-\dfrac{\boxed{31}}{6}=\dfrac{\boxed{10}}{6}=\boxed{1}\dfrac{\boxed{4}}{6}$

분수 부분이 않는가 됫수보다 크면 자연수는 자연수끼리 분수는 분수끼리 빼면 돼.

🌸 알맞은 식을 쓰고 답을 구하세요.

○ 집에서 학교까지는 $3\dfrac{3}{5}$ km, 집에서 마트까지는 $1\dfrac{1}{5}$ km입니다. 학교는 마트보다 몇 km 더 멀까요?

식 : $3\dfrac{3}{5}-1\dfrac{1}{5}=2\dfrac{2}{5}$

답 : $2\dfrac{2}{5}$ km

(두 거리의 차)
= (집 – 학교 거리) – (집 – 마트 거리)

① 준희의 생일 파티 때 친구들이 우유를 $2\dfrac{2}{4}$ L 마셨고, 주스를 $1\dfrac{1}{4}$ L 마셨습니다. 친구들이 마신 우유는 주스보다 몇 L 더 많을까요?

식 : $2\dfrac{2}{4}-1\dfrac{1}{4}=1\dfrac{1}{4}$

답 : $1\dfrac{1}{4}$ L

② 태희는 러닝머신에서 $4\dfrac{6}{7}$분 동안 달렸는데 도중에 $\dfrac{3}{7}$분 동안 잠시 쉬었습니다. 태희가 쉬지 않고 달린 시간은 몇 분일까요?

식 : $4\dfrac{6}{7}-\dfrac{3}{7}=4\dfrac{3}{7}$

답 : $4\dfrac{3}{7}$ 분

③ 빨간색 크레파스의 길이는 $5\dfrac{9}{10}$ cm이고, 파란색 크레파스의 길이는 빨간색보다 $1\dfrac{6}{10}$ cm 짧습니다. 파란색 크레파스의 길이는 몇 cm일까요?

식 : $5\dfrac{9}{10}-1\dfrac{6}{10}=4\dfrac{3}{10}$

답 : $4\dfrac{3}{10}$ cm

P 22 ~ 23

2일 (자연수)-(대분수)

🐞 2가지 방법으로 계산해 보세요.

○ 방법1 $4-1\dfrac{1}{6}=3\dfrac{\boxed{6}}{6}-1\dfrac{1}{6}=\boxed{2}\dfrac{\boxed{5}}{6}$

　방법2 $4-1\dfrac{1}{6}=\dfrac{\boxed{24}}{6}-\dfrac{\boxed{7}}{6}=\dfrac{\boxed{17}}{6}=\boxed{2}\dfrac{\boxed{5}}{6}$

① 방법1 $7-3\dfrac{2}{5}=\boxed{6}\dfrac{\boxed{5}}{5}-3\dfrac{2}{5}=\boxed{3}\dfrac{\boxed{3}}{5}$

　방법2 $7-3\dfrac{2}{5}=\dfrac{\boxed{35}}{5}-\dfrac{\boxed{17}}{5}=\dfrac{\boxed{18}}{5}=\boxed{3}\dfrac{\boxed{3}}{5}$

② 방법1 $6-4\dfrac{3}{7}=\boxed{5}\dfrac{\boxed{7}}{7}-4\dfrac{3}{7}=\boxed{1}\dfrac{\boxed{4}}{7}$

　방법2 $6-4\dfrac{3}{7}=\dfrac{\boxed{42}}{7}-\dfrac{\boxed{31}}{7}=\dfrac{\boxed{11}}{7}=\boxed{1}\dfrac{\boxed{4}}{7}$

자연수에서 1을 분모와 분자가 같은 가분수로 만들어 계산해.

🐞 알맞은 식을 쓰고 답을 구하세요.

○ 승준이가 피자 3판을 주문해서 친구들과 $1\dfrac{1}{2}$판을 먹었습니다. 먹고 남은 피자는 몇 판일까요?

식 : $3-1\dfrac{1}{2}=1\dfrac{1}{2}$

답 : $1\dfrac{1}{2}$ 판

(남은 피자의 양)
= (주문한 전체 피자) – (먹은 피자)

① 냉장고에 생수가 5 L 들어 있고, 우유는 생수보다 $3\dfrac{2}{8}$ L 더 적게 들어 있습니다. 냉장고에 들어 있는 우유는 몇 L일까요?

식 : $5-3\dfrac{2}{8}=1\dfrac{6}{8}$

답 : $1\dfrac{6}{8}$ L

② 현진이네 집에 쌀이 7 kg 있었는데 $4\dfrac{3}{6}$ kg을 먹었습니다. 현진이네 집에 남은 쌀은 몇 kg일까요?

식 : $7-4\dfrac{3}{6}=2\dfrac{3}{6}$

답 : $2\dfrac{3}{6}$ kg

③ 진용이가 가진 색 테이프는 4 m이고, 민정이가 가진 색 테이프는 $3\dfrac{1}{4}$ m입니다. 진용이의 색 테이프는 민정이보다 몇 m 더 길까요?

식 : $4-3\dfrac{1}{4}=\dfrac{3}{4}$

답 : $\dfrac{3}{4}$ m

P 24 ~ 25

3일 대분수의 뺄셈(2)

자연수를 받아내림하는 방법과 가분수로 고쳐서 계산하는 방법이야.

🐚 2가지 방법으로 계산해 보세요.

○ 방법1 $4\frac{1}{3} - 2\frac{2}{3} = 3\frac{\boxed{4}}{3} - 2\frac{2}{3} = 1\frac{\boxed{2}}{3}$

　방법2 $4\frac{1}{3} - 2\frac{2}{3} = \frac{\boxed{13}}{3} - \frac{\boxed{8}}{3} = \frac{\boxed{5}}{3} = 1\frac{\boxed{2}}{3}$

① 방법1 $5\frac{2}{4} - 4\frac{3}{4} = 4\frac{\boxed{6}}{4} - 4\frac{3}{4} = \frac{\boxed{3}}{4}$

　방법2 $5\frac{2}{4} - 4\frac{3}{4} = \frac{\boxed{22}}{4} - \frac{\boxed{19}}{4} = \frac{\boxed{3}}{4}$

② 방법1 $6\frac{1}{8} - 2\frac{4}{8} = 5\frac{\boxed{9}}{8} - 2\frac{4}{8} = 3\frac{\boxed{5}}{8}$

　방법2 $6\frac{1}{8} - 2\frac{4}{8} = \frac{\boxed{49}}{8} - \frac{\boxed{20}}{8} = \frac{\boxed{29}}{8} = 3\frac{\boxed{5}}{8}$

🐚 알맞은 식을 쓰고 답을 구하세요.

○ 소나무의 키는 $4\frac{1}{6}$ m이고 벚나무의 키는 소나무보다 $2\frac{5}{6}$ m 더 작습니다. 벚나무의 키는 몇 m일까요?

식 : $4\frac{1}{6} - 2\frac{5}{6} = 1\frac{2}{6}$

(벚나무의 키)
= (소나무의 키) - (소나무보다 작은 키)

답 : $1\frac{2}{6}$ m

① 예진이는 $6\frac{2}{4}$ 시간 동안 잠을 잤는데 $2\frac{3}{4}$ 시간 동안은 침대에서 자고, 나머지 시간 동안은 바닥에서 잤습니다. 예진이가 바닥에서 잔 시간은 몇 시간일까요?

식 : $6\frac{2}{4} - 2\frac{3}{4} = 3\frac{3}{4}$　　답 : $3\frac{3}{4}$ 시간

② 수애는 집에 있던 밀가루 $3\frac{2}{7}$ kg 중 $2\frac{5}{7}$ kg을 빵을 만드는 데 사용했습니다. 수애네 집에 남은 밀가루는 몇 kg일까요?

식 : $3\frac{2}{7} - 2\frac{5}{7} = \frac{4}{7}$　　답 : $\frac{4}{7}$ kg

③ 마트에서 생수를 $4\frac{7}{11}$ L 사고, 탄산수는 생수보다 $\frac{10}{11}$ L 더 적게 샀습니다. 마트에서 산 탄산수는 몇 L일까요?

식 : $4\frac{7}{11} - \frac{10}{11} = 3\frac{8}{11}$　　답 : $3\frac{8}{11}$ L

P 26 ~ 27

4일 대분수의 덧셈과 뺄셈

더해야 하는 상황과 빼야 하는 상황을 잘 구분해야 해.

🐚 알맞은 풀이를 쓰고 답을 구하세요.

○ 길이가 6 cm인 생일 초에 불을 붙였는데 생일 축하 노래가 끝나고 나서 생일 초의 길이를 재어 보니 $3\frac{2}{5}$ cm였습니다. 줄어든 생일 초의 길이는 몇 cm일까요?

풀이 : (줄어든 생일 초의 길이)
　　= (원래 초의 길이) - (나중에 잰 초의 길이)
　　= $6 - 3\frac{2}{5} = 2\frac{3}{5}$ (cm)

답 : $2\frac{3}{5}$ cm

① 정재는 집에 있던 식용유 $3\frac{4}{8}$ 병 중에서 $\frac{3}{8}$ 병을 사용했습니다. 정재네 집에 남은 식용유는 몇 병일까요?

풀이 : (남은 식용유의 양)
　　= (원래 있던 식용유의 양) - (사용한 식용유의 양)
　　= $3\frac{4}{8} - \frac{3}{8} = 3\frac{1}{8}$ (병)

답 : $3\frac{1}{8}$ 병

② 하림이가 집에서 출발하여 $2\frac{5}{6}$ 분 동안 뛰어 가고 $4\frac{3}{6}$ 분 동안 걸어서 도서관에 도착하였습니다. 하림이가 집에서 도서관까지 가는 데 걸린 시간은 몇 분일까요?

풀이 : (집에서 도서관까지 걸린 시간)
　　= (뛰어간 시간) + (걸어간 시간)
　　= $2\frac{5}{6} + 4\frac{3}{6} = 7\frac{2}{6}$ (분)

답 : $7\frac{2}{6}$ 분

③ 멜론의 무게는 $4\frac{2}{7}$ kg이고, 배의 무게는 $2\frac{5}{7}$ kg입니다. 멜론은 배보다 몇 kg 더 무거울까요?

풀이 : (두 과일의 무게 차)
　　= (멜론의 무게) - (배의 무게)
　　= $4\frac{2}{7} - 2\frac{5}{7} = 1\frac{4}{7}$ (kg)

답 : $1\frac{4}{7}$ kg

P 28 ~ 29

5일 어떤 수 구하기

문제에서 어떤 값을 □로 나타내야 할지 잘 찾아야 해.

□가 있는 식을 쓰고 답을 구하세요.

○ 어떤 수에 $\frac{2}{9}$ 를 더했더니 $\frac{7}{9}$ 이 되었습니다. 어떤 수는 얼마일까요?

식 : $\square + \frac{2}{9} = \frac{7}{9}$ 답 : $\frac{5}{9}$

$\square = \frac{7}{9} - \frac{2}{9}$

① 어떤 수에서 $\frac{4}{5}$ 를 뺐더니 $\frac{2}{5}$ 가 되었습니다. 어떤 수는 얼마일까요?

식 : $\square - \frac{4}{5} = \frac{2}{5}$ 답 : $1\frac{1}{5}$

② $2\frac{3}{6}$ 에 어떤 수를 더했더니 $3\frac{1}{6}$ 이 되었습니다. 어떤 수는 얼마일까요?

식 : $2\frac{3}{6} + \square = 3\frac{1}{6}$ 답 : $\frac{4}{6}$

③ $3\frac{2}{7}$ 에서 어떤 수를 뺐더니 $\frac{6}{7}$ 이 되었습니다. 어떤 수는 얼마일까요?

식 : $3\frac{2}{7} - \square = \frac{6}{7}$ 답 : $2\frac{3}{7}$

□가 있는 식을 쓰고 답을 구하세요.

○ 식당에 간장 $3\frac{2}{3}$ 병이 있었는데 요리를 하는 데 쓰고 2병이 남았습니다. 식당에서 요리를 하는 데 쓴 간장은 몇 병일까요?

식 : $3\frac{2}{3} - \square = 2$ 답 : $1\frac{2}{3}$ 병

$\square = 3\frac{2}{3} - 2$

① 수진이네 강아지의 몸무게가 $\frac{2}{8}$ kg 늘어서 $4\frac{7}{8}$ kg이 되었습니다. 수진이네 강아지의 원래 몸무게는 몇 kg일까요?

식 : $\square + \frac{2}{8} = 4\frac{7}{8}$ 답 : $4\frac{5}{8}$ kg

② 민호가 집에서 출발하여 $\frac{5}{12}$ km를 걸어갔더니 도서관까지 $2\frac{10}{12}$ km 남았습니다. 민호네 집에서 도서관까지의 거리는 몇 km일까요?

식 : $\square - \frac{5}{12} = 2\frac{10}{12}$ 답 : $3\frac{3}{12}$ km

③ 냉장고에 생수 $2\frac{3}{4}$ L가 있었는데 생수 몇 L를 더 사 넣었더니 냉장고의 생수는 $6\frac{1}{4}$ L가 되었습니다. 더 사 넣은 생수는 몇 L일까요?

식 : $2\frac{3}{4} + \square = 6\frac{1}{4}$ 답 : $3\frac{2}{4}$ L

P 30 ~ 31

확인학습

알맞은 식을 쓰고 답을 구하세요.

① 성재는 빵을 $3\frac{1}{2}$ 개 먹었고, 두섭이는 빵을 $2\frac{1}{2}$ 개 먹었습니다. 성재는 두섭이보다 빵을 몇 개 더 먹었을까요?

식 : $3\frac{1}{2} - 2\frac{1}{2} = 1$ 답 : 1개

② 채림이는 학교에 $5\frac{7}{12}$ 시간 동안 있었고, 학원에는 학교보다 $3\frac{3}{12}$ 시간만큼 더 짧게 있었습니다. 채림이가 학원에 있었던 시간은 몇 시간일까요?

식 : $5\frac{7}{12} - 3\frac{3}{12} = 2\frac{4}{12}$ 답 : $2\frac{4}{12}$ 시간

③ 신지는 2시간 동안 공부를 하였는데 영어 공부를 $1\frac{2}{9}$ 시간 동안 하고, 남은 시간은 수학 공부를 하였습니다. 신지가 수학 공부를 한 시간은 몇 시간일까요?

식 : $2 - 1\frac{2}{9} = \frac{7}{9}$ 답 : $\frac{7}{9}$ 시간

④ 이쑤시개의 길이는 6 cm이고, 클립의 길이는 $2\frac{4}{5}$ cm입니다. 이쑤시개는 클립보다 몇 cm 더 길까요?

식 : $6 - 2\frac{4}{5} = 3\frac{1}{5}$ 답 : $3\frac{1}{5}$ cm

알맞은 식을 쓰고 답을 구하세요.

⑤ 종민이는 $8\frac{2}{9}$ 분 동안 종이접기를 했는데 $2\frac{4}{9}$ 분 동안 학을 접고 나머지 시간 동안 개구리를 접었습니다. 종민이가 개구리를 접은 시간은 몇 분일까요?

식 : $8\frac{2}{9} - 2\frac{4}{9} = 5\frac{7}{9}$ 답 : $5\frac{7}{9}$ 분

⑥ 노란색 생일 초의 길이는 $5\frac{6}{8}$ cm이고, 초록색 생일 초의 길이는 $6\frac{3}{8}$ cm입니다. 두 초의 길이 차는 몇 cm일까요?

식 : $6\frac{3}{8} - 5\frac{6}{8} = \frac{5}{8}$ 답 : $\frac{5}{8}$ cm

⑦ 바구니에 사과 $\frac{3}{7}$ kg을 넣었더니 바구니와 사과의 무게가 $\frac{5}{7}$ kg이 되었습니다. 바구니만의 무게는 몇 kg일까요?

식 : $\square + \frac{3}{7} = \frac{5}{7}$ 답 : $\frac{2}{7}$ kg

⑧ 상은이가 가진 색 테이프 중 $\frac{7}{10}$ m를 사용하고 $\frac{8}{10}$ m가 남았습니다. 원래 상은이가 가지고 있던 색 테이프는 몇 m일까요?

식 : $\square - \frac{7}{10} = \frac{8}{10}$ 답 : $1\frac{5}{10}$ m

P 32

확인학습

알맞은 풀이를 쓰고 답을 구하세요.

⑨ 수현이는 어제 $\frac{3}{4}$ km를 걸었고, 오늘은 어제보다 $3\frac{2}{4}$ km 더 걸었습니다. 수현이가 오늘 걸은 거리는 몇 km일까요?

풀이 : (오늘 걸은 거리)

= (어제 걸은 거리) + (어제보다 더 걸은 거리)

$= \frac{3}{4} + 3\frac{2}{4} = 4\frac{1}{4}$ (km)

답 : $4\frac{1}{4}$ km

⑩ 냉장고에 오렌지 주스는 $2\frac{4}{10}$ L 들어 있고, 포도 주스는 $\frac{7}{10}$ L 들어 있습니다. 냉장고에 있는 오렌지 주스는 포도 주스보다 몇 L 더 많을까요?

풀이 : (두 주스의 양의 차)

= (오렌지 주스의 양) − (포도 주스의 양)

$= 2\frac{4}{10} - \frac{7}{10} = 1\frac{7}{10}$ (L)

답 : $1\frac{7}{10}$ L

P 34 ~ 35

1일 소수 두 자리 수

2.35을 이 정상이라고 읽어. 2.3보다 크고 2.4보다 작은 수야.

🌸 밑줄 친 곳에 알맞은 수나 말을 써넣으세요.

◎ 2.35에서 2는 __일__ 의 자리 숫자이고, __2__ 를 나타냅니다.

　　3은 __소수 첫째__ 자리 숫자이고, __0.3__ 을 나타냅니다.

　　5는 __소수 둘째__ 자리 숫자이고, __0.05__ 를 나타냅니다.

① 1.28에서 1은 __일__ 의 자리 숫자이고, __1__ 을 나타냅니다.

　　2는 __소수 첫째__ 자리 숫자이고, __0.2__ 를 나타냅니다.

　　8은 __소수 둘째__ 자리 숫자이고, __0.08__ 을 나타냅니다.

② 4.19에서 4는 __일__ 의 자리 숫자이고, __4__ 를 나타냅니다.

　　1은 __소수 첫째__ 자리 숫자이고, __0.1__ 을 나타냅니다.

　　9는 __소수 둘째__ 자리 숫자이고, __0.09__ 를 나타냅니다.

🌸 알맞은 소수를 구하세요.

◎ 1이 3개, 0.1이 5개, 0.01이 8개인 수는 얼마일까요?
　　　3　　0.5　　0.08

답 : __3.58__

① 1이 2개, 0.1이 4개, 0.01이 7개인 수는 얼마일까요?

답 : __2.47__

② 10이 1개, 1이 5개, 0.01이 9개인 수는 얼마일까요?

답 : __15.09__

③ $\frac{1}{10}$이 6개, $\frac{1}{100}$이 8개인 수는 얼마일까요?

답 : __0.68__

④ 10이 2개, $\frac{1}{10}$이 3개, $\frac{1}{100}$이 1개인 수는 얼마일까요?

답 : __20.31__

P 36 ~ 37

2일 소수 세 자리 수

소수 세 자리 수 3.473은 3.47보다 크고 3.48보다 작은 수야.

🌸 알맞은 소수를 구하세요.

◎ 0.1이 4개, 0.01이 1개, 0.001이 3개인 수는 얼마일까요?
　　0.4　　0.01　　0.003

답 : __0.413__

① 1이 3개, 0.1이 4개, 0.01이 8개, 0.001이 5개인 수는 얼마일까요?

답 : __3.485__

② 1이 2개, 0.1이 1개, 0.001이 7개인 수는 얼마일까요?

답 : __2.107__

③ 1이 7개, $\frac{1}{10}$이 4개, $\frac{1}{100}$이 7개, $\frac{1}{1000}$이 2개인 수는 얼마일까요?

답 : __7.472__

④ 1이 8개, $\frac{1}{100}$이 6개, $\frac{1}{1000}$이 5개인 수는 얼마일까요?

답 : __8.065__

🌸 다음 물음에 답하세요.

◎ 지현이의 키는 0.01이 132개인 수입니다. 지현이의 키는 몇 m일까요?

답 : __1.32__ m

① 견우의 100 m 달리기 기록은 0.01이 1905개인 수입니다. 견우의 100 m 달리기 기록은 몇 초일까요?

답 : __19.05초__

② 냉장고에 있는 돼지고기의 무게는 0.001이 2083개인 수입니다. 냉장고에 있는 돼지고기의 무게는 몇 kg일까요?

답 : __2.083__ kg

③ 백두산의 높이는 0.001이 2744개인 수입니다. 백두산의 높이는 몇 km일까요?

답 : __2.744__ km

P 38 ~ 39

3일 소수의 크기 비교

소수의 크기를 비교할 때는 큰 자릿값부터 차례대로 비교해야 해.

🐝 밑줄 친 곳에 알맞은 수를 써넣으세요.

◎ 2.19는 0.01이 __219__ 개이고, 2.24는 0.01이 __224__ 개이므로

2.19와 2.24 중 더 큰 소수는 __2.24__ 입니다.

① 3.65는 0.01이 __365__ 개이고, 3.5는 0.01이 __350__ 개이므로

3.65와 3.5 중 더 큰 소수는 __3.65__ 입니다.

② 2.154는 0.001이 __2154__ 개이고, 2.157은 0.001이 __2157__ 개이므로

2.154와 2.157 중 더 작은 소수는 __2.154__ 입니다.

③ 0.706은 0.001이 __706__ 개이고, 0.75는 0.001이 __750__ 개이므로

0.706과 0.75 중 더 작은 소수는 __0.706__ 입니다.

🐝 다음 물음에 답하세요.

◎ 집에서 학교까지의 거리는 1.725 km이고, 집에서 마트까지의 거리는 1.74 km입니다. 학교와 마트 중 집에서 더 먼 곳은 어디일까요?

답 : __마트__

① 우진이의 멀리뛰기 기록은 1.88 m이고, 호영이의 기록은 1.79 m입니다. 두 사람 중 더 멀리 뛴 사람은 누구일까요?

답 : __우진__

② 미래반이 모은 재활용품의 무게는 12.61 kg이고, 소망반이 모은 재활용품의 무게는 12.705 kg입니다. 두 반 중 재활용품을 더 적게 모은 반은 어디일까요?

답 : __미래반__

③ 냉장고에 주스가 2.345L 들어 있고, 우유가 2.328L 있습니다. 주스와 우유 중 냉장고에 더 적게 들어 있는 것은 무엇일까요?

답 : __우유__

P 40 ~ 41

4일 소수 사이의 관계

🐝 밑줄 친 곳에 알맞은 수를 써넣으세요.

◎ 0.75의 10배는 __7.5__ 이고, 100배는 __75__ 입니다.

① 2.713의 10배는 __27.13__ 이고, 100배는 __271.3__ 입니다.

② 0.329의 10배는 __3.29__ 이고, 100배는 __32.9__ 입니다.

③ 8의 $\frac{1}{10}$ 은 __0.8__ 이고, $\frac{1}{100}$ 은 __0.08__ 입니다.

④ 1.4의 $\frac{1}{10}$ 은 __0.14__ 이고, $\frac{1}{100}$ 은 __0.014__ 입니다.

⑤ 53.6의 $\frac{1}{10}$ 은 __5.36__ 이고, $\frac{1}{100}$ 은 __0.536__ 입니다.

🐝 다음 물음에 답하세요.

◎ 강아지의 몸무게는 3.54 kg이고, 지현이의 몸무게는 강아지 몸무게의 10배입니다. 지현이의 몸무게는 몇 kg일까요?

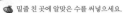

답 : __35.4 kg__

① 수연이의 100 m 달리기 기록은 20.54초이고, 연재의 4000 m 달리기 기록은 수연이의 100 m 달리기 기록의 100배입니다. 연재의 기록은 몇 초일까요?

답 : __2054초__

② 냉장고에 있는 우유 4.57 L 중 $\frac{1}{10}$ 을 마셨습니다. 마신 우유는 몇 L일까요?

답 : __0.457 L__

③ 건물의 높이는 122.5 m이고, 나무의 높이는 건물 높이의 $\frac{1}{100}$ 입니다. 나무의 높이는 몇 m일까요?

답 : __1.225 m__

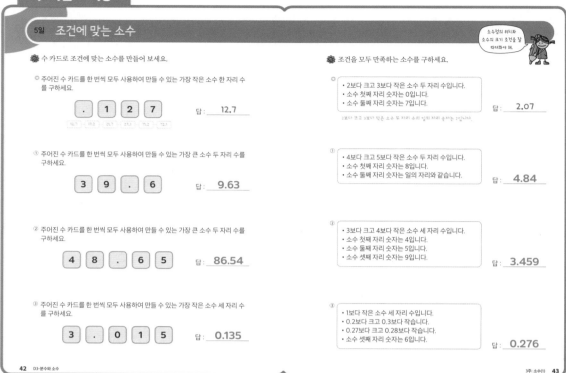

P 42 ~ 43

5일 조건에 맞는 소수

소수점의 위치와
소수의 크기 조건을 잘
따져봐야 해.

수 카드로 조건에 맞는 소수를 만들어 보세요.

◇ 주어진 수 카드를 한 번씩 모두 사용하여 만들 수 있는 가장 작은 소수 한 자리 수를 구하세요.

[.] [1] [2] [7]   답 : 12.7

① 주어진 수 카드를 한 번씩 모두 사용하여 만들 수 있는 가장 큰 소수 두 자리 수를 구하세요.

[3] [9] [.] [6]   답 : 9.63

② 주어진 수 카드를 한 번씩 모두 사용하여 만들 수 있는 가장 큰 소수 두 자리 수를 구하세요.

[4] [8] [6] [5]   답 : 86.54

③ 주어진 수 카드를 한 번씩 모두 사용하여 만들 수 있는 가장 작은 소수 세 자리 수를 구하세요.

[3] [.] [0] [1] [5]   답 : 0.135

조건을 모두 만족하는 소수를 구하세요.

◇
- 2보다 크고 3보다 작은 소수 두 자리 수입니다.
- 소수 첫째 자리 숫자는 0입니다.
- 소수 둘째 자리 숫자는 7입니다.

답 : 2.07

2보다 크고 3보다 작은 소수 두 자리 수의 일의 자리 숫자는 2입니다.

①
- 4보다 크고 5보다 작은 소수 두 자리 수입니다.
- 소수 첫째 자리 숫자는 8입니다.
- 소수 둘째 자리 숫자는 일의 자리와 같습니다.

답 : 4.84

②
- 3보다 크고 4보다 작은 소수 세 자리 수입니다.
- 소수 첫째 자리 숫자는 4입니다.
- 소수 둘째 자리 숫자는 5입니다.
- 소수 셋째 자리 숫자는 9입니다.

답 : 3.459

③
- 1보다 작은 소수 세 자리 수입니다.
- 0.2보다 크고 0.3보다 작습니다.
- 0.27보다 크고 0.28보다 작습니다.
- 소수 셋째 자리 숫자는 6입니다.

답 : 0.276

42 D3-분수와 소수

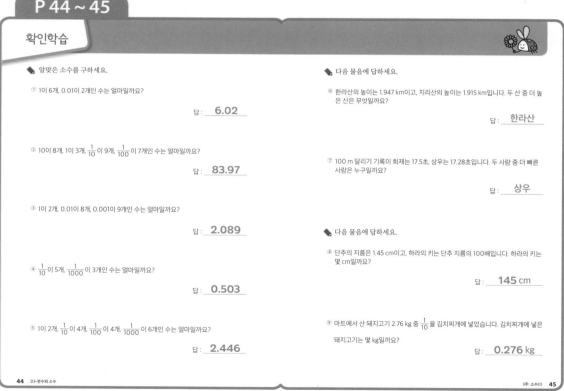

P 44 ~ 45

확인학습

알맞은 소수를 구하세요.

① 1이 6개, 0.01이 2개인 수는 얼마일까요?

답 : 6.02

② 10이 8개, 1이 3개, $\frac{1}{10}$이 9개, $\frac{1}{100}$이 7개인 수는 얼마일까요?

답 : 83.97

③ 1이 2개, 0.01이 8개, 0.001이 9개인 수는 얼마일까요?

답 : 2.089

④ $\frac{1}{10}$이 5개, $\frac{1}{1000}$이 3개인 수는 얼마일까요?

답 : 0.503

⑤ 1이 2개, $\frac{1}{10}$이 4개, $\frac{1}{100}$이 4개, $\frac{1}{1000}$이 6개인 수는 얼마일까요?

답 : 2.446

다음 물음에 답하세요.

⑥ 한라산의 높이는 1.947 km이고, 지리산의 높이는 1.915 km입니다. 두 산 중 더 높은 산은 무엇일까요?

답 : 한라산

⑦ 100 m 달리기 기록이 희재는 17.5초, 상우는 17.28초입니다. 두 사람 중 더 빠른 사람은 누구일까요?

답 : 상우

다음 물음에 답하세요.

⑧ 단추의 지름은 1.45 cm이고, 하라의 키는 단추 지름의 100배입니다. 하라의 키는 몇 cm일까요?

답 : 145 cm

⑨ 마트에서 산 돼지고기 2.76 kg 중 $\frac{1}{10}$을 김치찌개에 넣었습니다. 김치찌개에 넣은 돼지고기는 몇 kg일까요?

답 : 0.276 kg

44 D3-분수와 소수

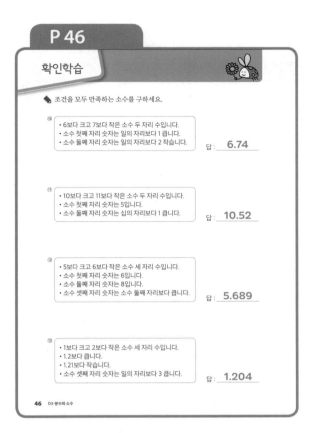

P 46

확인학습

조건을 모두 만족하는 소수를 구하세요.

⑩
• 6보다 크고 7보다 작은 소수 두 자리 수입니다.
• 소수 첫째 자리 숫자는 일의 자리보다 1 큽니다.
• 소수 둘째 자리 숫자는 일의 자리보다 2 작습니다.

답 : **6.74**

⑪
• 10보다 크고 11보다 작은 소수 두 자리 수입니다.
• 소수 첫째 자리 숫자는 5입니다.
• 소수 둘째 자리 숫자는 십의 자리보다 1 큽니다.

답 : **10.52**

⑫
• 5보다 크고 6보다 작은 소수 세 자리 수입니다.
• 소수 첫째 자리 숫자는 6입니다.
• 소수 둘째 자리 숫자는 8입니다.
• 소수 셋째 자리 숫자는 소수 둘째 자리보다 큽니다.

답 : **5.689**

⑬
• 1보다 크고 2보다 작은 소수 세 자리 수입니다.
• 1.2보다 큽니다.
• 1.21보다 작습니다.
• 소수 셋째 자리 숫자는 일의 자리보다 3 큽니다.

답 : **1.204**

4주 소수(2)

P 48 ~ 49

1일 소수 한 자리 수의 계산(1)

> 소수를 더하거나 뺄 때는 소수점의 위치에 주의해야 해.

❀ 세로셈 식을 완성하고 밑줄 친 곳에 알맞은 수를 구하세요.

◦ 0.7보다 0.8 큰 수는 __1.5__ 입니다.

```
    0 . 7
+   0 . 8
    1 . 5
```

① 2.3보다 1.9 작은 수는 __0.4__ 입니다.

```
    2 . 3
-   1 . 9
    0 . 4
```

② 3.5에 4.8을 더하면 __8.3__ 입니다.

```
    3 . 5
+   4 . 8
    8 . 3
```

③ 10.6보다 13.7 큰 수는 __24.3__ 입니다.

```
    1 0 . 6
+   1 3 . 7
    2 4 . 3
```

④ 12.3에서 5.5를 빼면 __6.8__ 입니다.

```
    1 2 . 3
-     5 . 5
      6 . 8
```

❀ 알맞은 식을 쓰고 답을 구하세요.

◦ 길이가 0.5 m인 강낭콩이 두 달 동안 0.6 m 자랐습니다. 강낭콩의 길이는 몇 m가 되었을까요?

식 : __0.5+0.6=1.1__   답 : __1.1 m__
(강낭콩의 길이)
= (두 달 전 강낭콩의 길이) + (자란 길이)

① 마트에서 생수 2.8 L와 우유 1.2 L를 샀습니다. 마트에서 산 생수와 우유는 모두 몇 L일까요?

식 : __2.8+1.2=4__   답 : __4 L__

② 재민이가 가진 연필의 길이는 10.7 cm이고, 형태가 가진 연필은 재민이의 연필보다 4.6 cm 더 깁니다. 형태가 가진 연필의 길이는 몇 cm일까요?

식 : __10.7+4.6=15.3__   답 : __15.3 cm__

③ 고추장 15.5 kg에 된장 16.8 kg을 넣어 쌈장을 만들었습니다. 쌈장의 무게는 몇 kg일까요?

식 : __15.5+16.8=32.3__   답 : __32.3 kg__

48 D3-분수와 소수

4주: 소수(2) 49

P 50 ~ 51

2일 소수 한 자리 수의 계산(2)

> 소수점의 위치를 맞춰 세로 계산식으로 계산하면 편리해.

❀ 알맞은 식을 쓰고 답을 구하세요.

◦ 마트에서 사 온 주스 1.5 L 중 0.7 L를 마셨습니다. 남은 주스는 몇 L일까요?

식 : __1.5-0.7=0.8__   답 : __0.8 L__
(남은 주스의 양)
= (처음 사 온 주스의 양) - (마신 주스의 양)

① 강아지의 몸무게는 4.5 kg, 고양이의 몸무게는 2.3 kg입니다. 강아지는 고양이보다 몇 kg 더 무거울까요?

식 : __4.5-2.3=2.2__   답 : __2.2 kg__

② 길이가 12.7 cm인 초에 불을 붙였더니 10분 동안 5.3 cm 줄어들었습니다. 초의 길이는 몇 cm가 되었을까요?

식 : __12.7-5.3=7.4__   답 : __7.4 cm__

③ 영지네 집에 쌀이 26.4 kg 있고, 잡곡은 쌀보다 21.9 kg 더 적게 있습니다. 영지네 집에 있는 잡곡의 무게는 몇 kg일까요?

식 : __26.4-21.9=4.5__   답 : __4.5 kg__

❀ 알맞은 풀이를 쓰고 답을 구하세요.

◦ 식당에서 햄버거 패티를 만드는 데 소고기 4.4 kg, 돼지고기 7.1 kg을 사용하였습니다. 식당에서 사용한 소고기와 돼지고기는 모두 몇 kg일까요?

풀이 : (식당에서 사용한 고기의 무게)
= (소고기의 무게) + (돼지고기의 무게)
= 4.4 + 7.1 = 11.5 (kg)

답 : __11.5 kg__

① 냉장고에 우유가 6.7 L 들어 있고, 생수는 우유보다 1.5 L 더 많습니다. 냉장고에 있는 생수는 몇 L일까요?

풀이 : (생수의 양)
= (우유의 양) + (우유보다 더 많은 양)
= 6.7 + 1.5 = 8.2 (L)

답 : __8.2 L__

② 세희가 가진 공책의 가로 길이는 29.5 cm이고, 세로 길이는 37.8 cm입니다. 공책의 세로는 가로보다 몇 cm 더 길까요?

풀이 : (가로보다 긴 길이)
= (공책의 세로 길이) - (공책의 가로 길이)
= 37.8 - 29.5 = 8.3 (cm)

답 : __8.3 cm__

50 D3-분수와 소수

4주: 소수(2) 51

---

14 D3-분수와 소수

P 52~53

3일 소수 두 자리 수의 계산(1)

🐝 세로셈 식을 완성하고 밑줄 친 곳에 알맞은 수를 구하세요.

◎ 4.75에서 2.36을 빼면 __2.39__ 입니다.

```
        6  10
    4 . 7  5
  - 2 . 3  6
    2 . 3  9
```

① 0.98보다 2.34 큰 수는 __3.32__ 입니다.

```
    0 . 9 8
  + 2 . 3 4
    3 . 3 2
```

② 7.5에서 1.78을 빼면 __5.72__ 입니다.

```
    7 . 5
  - 1 . 7 8
    5 . 7 2
```

③ 15.6에 4.38을 더하면 __19.98__ 입니다.

```
    1 5 . 6
  +    4 . 3 8
    1 9 . 9 8
```

④ 26.45에서 9.78을 빼면 __16.67__ 입니다.

```
    2 6 . 4 5
  -    9 . 7 8
    1 6 . 6 7
```

🐝 알맞은 식을 쓰고 답을 구하세요.

◎ 식탁 위에 두부 0.75 kg과 된장 1.3 kg이 있습니다. 식탁 위에 있는 두부와 된장은 모두 몇 kg일까요?

식 : __0.75+1.3=2.05__   답 : __2.05__ kg

① 소금물이 2.23 L 있고, 설탕물은 소금물보다 3.68 L 더 많습니다. 설탕물은 몇 L 있을까요?

식 : __2.23+3.68=5.91__   답 : __5.91__ L

② 안방에서 화장실까지의 거리는 6.9 m이고, 화장실에서 식탁까지의 거리는 13.35 m입니다. 안방에서 화장실을 거쳐 식탁까지 가는 거리는 몇 m일까요?

식 : __6.9+13.35=20.25__   답 : __20.25__ m

③ 호두 36.72 kg을 무게가 2.08인 상자에 넣었습니다. 호두가 들어 있는 상자의 무게는 몇 kg일까요?

식 : __36.72+2.08=38.8__   답 : __38.8__ kg

P 54~55

4일 소수 두 자리 수의 계산(2)

🐝 알맞은 식을 쓰고 답을 구하세요.

◎ 민지의 키는 1.42 m이고, 동생의 키는 민지의 키보다 0.15 m 더 작습니다. 동생의 키는 몇 m일까요?

식 : __1.42-0.15=1.27__   답 : __1.27__ m

① 책이 들어 있는 가방의 무게는 3.4 kg입니다. 빈 가방의 무게가 0.55 kg일 때 책의 무게는 몇 kg일까요?

식 : __3.4-0.55=2.85__   답 : __2.85__ kg

② 태곤이의 100 m 달리기 기록은 18.68초이고, 주현이의 기록은 17.8초입니다. 주현이의 기록은 태곤이보다 몇 초 더 빠를까요?

식 : __18.68-17.8=0.88__   답 : __0.88__ 초

③ 연주네 가족은 사흘 동안 우유 14.5 L 중 7.65 L를 마셨습니다. 남은 우유는 몇 L일까요?

식 : __14.5-7.65=6.85__   답 : __6.85__ L

🐝 알맞은 풀이를 쓰고 답을 구하세요.

◎ 어느 날 저녁에 잰 두현이의 몸무게는 41.7 kg이었고, 다음 날 아침에 잰 몸무게는 전 날보다 0.45 kg 줄었습니다. 아침에 잰 두현이의 몸무게는 몇 kg일까요?

풀이 : (아침에 잰 몸무게)
= (저녁에 잰 몸무게) - (줄어든 몸무게)
= 41.7 - 0.45 = 41.25 (kg)

답 : __41.25 kg__

① 비커에 물 30.55mL와 기름 27.95mL가 들어 있습니다. 비커에 들어 있는 물은 기름보다 몇 mL 더 많을까요?

풀이 : (기름보다 더 많은 양)
= (물의 양) - (기름의 양)
= 30.55 - 27.95 = 2.6 (mL)

답 : __2.6 mL__

② 은화의 무게는 7.47 g이고, 금화의 무게는 은화보다 1.39 g 더 무겁습니다. 금화의 무게는 몇 g일까요?

풀이 : (금화의 무게)
= (은화의 무게) + (은화보다 더 무거운 무게)
= 7.47 + 1.39 = 8.86 (g)

답 : __8.86 g__

P 56 ~ 57

5일 단위 변환 계산

소수를 자연수로 바꿔도 되고, 자연수를 소수로 바꿔도 돼.

✿ 알맞은 풀이를 쓰고 답을 구하세요.

○ 세미의 키는 1.47 m이고, 오현이의 키는 142 cm입니다. 세미는 오현이보다 몇 m 더 클까요?

풀이 : (오현이의 키) = 142 cm = 1.42 m
　　　(두 사람의 키의 차)
　　　= (세미의 키) − (오현이의 키)
　　　= 1.47 − 1.42 = 0.05 (m)

답 : __0.05 m__

② 마트에서 주스 1.65 L를 샀고, 우유는 주스보다 750 mL 더 샀습니다. 마트에서 산 우유는 몇 L일까요?

풀이 : (주스보다 더 산 양) = 750 mL = 0.75 L
　　　(우유의 양)
　　　= (주스의 양) + (주스보다 더 산 양)
　　　= 1.65 + 0.75 = 2.4 (L)

답 : __2.4 L__

① 쌀통에 쌀 3250 g과 잡곡 1.08kg이 들어 있습니다. 쌀통에 들어 있는 쌀과 잡곡은 모두 몇 kg일까요?

풀이 : (쌀의 무게) = 3250 g = 3.25 kg
　　　(쌀과 잡곡의 무게)
　　　= (쌀의 무게) + (잡곡의 무게)
　　　= 3.25 + 1.08 = 4.33 (kg)

답 : __4.33 kg__

③ 현민이네 집에서 학교까지의 거리는 3.75km입니다. 현민이가 집에서 출발하여 960 m는 걸어가고 나머지 거리는 자전거를 타고 갔습니다. 현민이가 자전거를 타고 간 거리는 몇 km일까요?

풀이 : (걸어간 거리) = 960 m = 0.96 km
　　　(자전거를 타고 간 거리)
　　　= (집에서 학교까지의 거리) − (걸어간 거리)
　　　= 3.75 − 0.96 = 2.79 (km)

답 : __2.79 km__

P 58 ~ 59

확인학습

✏️ 알맞은 식을 쓰고 답을 구하세요.

① 나영이는 밤을 3.5 kg 주웠고, 다혜는 나영이보다 1.3 kg 더 주웠습니다. 다혜가 주운 밤은 몇 kg일까요?

식 : __3.5+1.3=4.8__　답 : __4.8 kg__

② 주영이는 아침에 0.8 km를 뛰었고, 저녁에 1.5km를 뛰었습니다. 주영이가 하루 동안 뛴 거리는 몇 km일까요?

식 : __0.8+1.5=2.3__　답 : __2.3 km__

③ 하연이가 가진 색 테이프의 길이는 2.9 m이고, 호진이는 하연이보다 1.5 m 더 짧은 색 테이프를 가지고 있습니다. 호진이가 가진 색 테이프는 몇 m일까요?

식 : __2.9−1.5=1.4__　답 : __1.4 m__

④ 식당에 있는 식용유 16 L 중 3.3 L를 사용했습니다. 식당에 남은 식용유는 몇 L일까요?

식 : __16−3.3=12.7__　답 : __12.7 L__

✏️ 알맞은 식을 쓰고 답을 구하세요.

⑤ 사과의 무게는 1.77 kg이고, 배의 무게는 사과보다 1.68 kg 더 무겁습니다. 배의 무게는 몇 kg일까요?

식 : __1.77+1.68=3.45__　답 : __3.45 kg__

⑥ 해민이가 깃발이 있는 곳까지 달려가는 데 13.75초, 돌아오는 데 17.45초가 걸렸습니다. 깃발이 있는 곳까지 달려가 돌아오는 데 걸린 시간은 몇 초일까요?

식 : __13.75+17.45=31.2__　답 : __31.2초__

⑦ 소은이가 가진 자의 길이는 34.5 cm이고, 가위의 길이는 18.35 cm입니다. 소은이가 가진 자는 가위보다 몇 cm 더 길까요?

식 : __34.5−18.35=16.15__　답 : __16.15 cm__

⑧ 딱풀의 무게는 28.35g인데 뚜껑을 빼고 잰 무게는 24.75g이었습니다. 딱풀 뚜껑의 무게는 몇 g일까요?

식 : __28.35−24.75=3.6__　답 : __3.6 g__

P 60

확인학습

◆ 알맞은 풀이를 쓰고 답을 구하세요.

⑧ 성준이가 종이학을 접는 데 3.5분이 걸렸고, 종이개구리를 접는 데 2분 30초가 걸렸습니다. 성준이가 종이학을 접은 시간은 종이개구리를 접은 시간보다 몇 분 더 길까요?

> 풀이 : (종이개구리를 접은 시간) = **2분 30초 = 2.5** 분
>
> (두 시간의 차)
>
> = (종이학을 접은 시간) − (종이개구리를 접은 시간)
>
> = **3.5 − 2.5 = 1**(분)
>
> 답 : _____1분_____

⑨ 한 달 전 기훈이의 몸무게는 40.35 kg이었는데 한 달 동안 몸무게가 1450 g 늘어났습니다. 현재 기훈이의 몸무게는 몇 kg일까요?

> 풀이 : (늘어난 몸무게) = **1450** g = **1.45** kg
>
> (현재 몸무게)
>
> = (한 달 전 몸무게) + (늘어난 몸무게)
>
> = **40.35 + 1.45 = 41.8** (kg)
>
> 답 : ___41.8 kg___

P62 ~ 63

1회차 진단평가

제한 시간 15분
맞은 개수 / 9개

✏️ 알맞은 식을 쓰고 답을 구하세요.

① 송현이는 우유 $\frac{3}{8}$ L, 주스 $\frac{2}{8}$ L를 마셨습니다. 송현이가 마신 우유와 주스는 모두 몇 L일까요?

식 : $\frac{3}{8} + \frac{2}{8} = \frac{5}{8}$ 답 : $\frac{5}{8}$ L

② 혜진이는 어제 책을 $\frac{5}{6}$시간 읽었고, 오늘은 어제보다 $\frac{4}{6}$시간 더 읽었습니다. 혜진이가 오늘 책을 읽은 시간은 몇 시간일까요?

식 : $\frac{5}{6} + \frac{4}{6} = 1\frac{3}{6}$ 답 : $1\frac{3}{6}$시간

✏️ □가 있는 식을 쓰고 답을 구하세요.

③ 민진이가 종이접기를 하기로 한 시간 $5\frac{2}{6}$ 분 중 몇 분 동안 종이학을 접었더니 $3\frac{1}{6}$분이 남았습니다. 민진이가 종이학을 접는 데 쓴 시간은 몇 분일까요?

식 : $5\frac{2}{6} - \square = 3\frac{1}{6}$ 답 : $2\frac{1}{6}$ 분

④ 수조에 물이 $\frac{6}{9}$ L 들어 있었는데 얼마를 더 부었더니 수조에 있는 물이 $4\frac{4}{9}$ L가 되었습니다. 수조에 더 부은 물은 몇 L일까요?

식 : $\frac{6}{9} + \square = 4\frac{4}{9}$ 답 : $3\frac{7}{9}$ L

✏️ 밑줄 친 곳에 알맞은 수를 써넣으세요.

⑤ 1.68의 10배는 __16.8__ 이고, 100배는 __168__ 입니다.

⑥ 0.9의 $\frac{1}{10}$은 __0.09__ 이고, $\frac{1}{100}$은 __0.009__ 입니다.

⑦ 28.3의 $\frac{1}{10}$은 __2.83__ 이고, $\frac{1}{100}$은 __0.283__ 입니다.

✏️ 알맞은 식을 쓰고 답을 구하세요.

⑧ 현우가 가진 철사의 길이는 7.07 m이고, 상호가 가진 철사의 길이는 4.61 m입니다. 두 사람이 가진 철사의 길이의 합은 몇 m일까요?

식 : __7.07+4.61=11.68__   답 : __11.68 m__

⑨ 무게가 9.93 g인 줄에 무게가 13.24 g인 펜던트를 매달아 목걸이를 만들었습니다. 목걸이의 무게는 몇 g일까요?

식 : __9.93+13.24=23.17__   답 : __23.17 g__

P64 ~ 65

2회차 진단평가

제한 시간 15분
맞은 개수 / 8개

✏️ 알맞은 식을 쓰고 답을 구하세요.

① 다혜네 집에서 도서관까지의 거리는 $\frac{5}{6}$ km입니다. 다혜가 집에서 도서관까지 $\frac{3}{6}$ km를 걸어갔다면 남은 거리는 몇 km일까요?

식 : $\frac{5}{6} - \frac{3}{6} = \frac{2}{6}$ 답 : $\frac{2}{6}$ km

② 시우네 집 강아지는 몸무게가 $\frac{4}{7}$ kg 늘었고, 고양이는 강아지보다 몸무게가 $\frac{2}{7}$ kg 적게 늘었습니다. 시우네 집 고양이의 몸무게는 몇 kg 늘었을까요?

식 : $\frac{4}{7} - \frac{2}{7} = \frac{2}{7}$ 답 : $\frac{2}{7}$ kg

✏️ 알맞은 식을 쓰고 답을 구하세요.

③ 지원이가 기르는 고양이의 몸무게는 $2\frac{5}{8}$ kg이었는데 하루 동안 $\frac{1}{8}$ kg 줄었습니다. 고양이의 몸무게는 몇 kg일까요?

식 : $2\frac{5}{8} - \frac{1}{8} = 2\frac{4}{8}$ 답 : $2\frac{4}{8}$ kg

④ 미술 시간에 색 테이프 $5\frac{4}{5}$ m 중 $5\frac{2}{5}$ m를 사용했습니다. 남은 색 테이프는 몇 m일까요?

식 : $5\frac{4}{5} - 5\frac{2}{5} = \frac{2}{5}$ 답 : $\frac{2}{5}$ m

✏️ 수 카드로 조건에 맞는 소수를 만들어 보세요.

⑤ 주어진 수 카드를 한 번씩 모두 사용하여 만들 수 있는 가장 작은 소수 두 자리 수를 구하세요.

     답 : __0.38__

⑥ 주어진 수 카드를 한 번씩 모두 사용하여 만들 수 있는 가장 큰 소수 세 자리 수를 구하세요.

      답 : __7.621__

✏️ 알맞은 식을 쓰고 답을 구하세요.

⑦ 집에서 도서관까지의 거리는 3.6 km이고, 집에서 병원까지의 거리는 2.75 km입니다. 도서관은 병원보다 집에서 몇 km 더 멀까요?

식 : __3.6−2.75=0.85__   답 : __0.85 km__

⑧ 수애는 물 속에서 45.27초 동안 숨을 참았고, 신지는 수애보다 6.43초 더 짧게 숨을 참았습니다. 신지가 물 속에서 숨을 참은 시간은 몇 초일까요?

식 : __45.27−6.43=38.84__   답 : __38.84초__

P 66 ~ 67

월 일 / 제한 시간 15분 / 맞은 개수 / 7개

✎ 알맞은 식을 쓰고 답을 구하세요.

① 준우는 1시간 동안 공부를 했는데 $\frac{5}{6}$ 시간은 수학 공부를 하고, 나머지는 국어 공부를 했습니다. 준우가 국어 공부를 한 시간은 몇 시간일까요?

식 : $1 - \frac{5}{6} = \frac{1}{6}$ 답 : $\frac{1}{6}$ 시간

② 연서는 몸무게를 $\frac{3}{10}$ kg 줄였고, 서준이는 몸무게를 1 kg 줄였습니다. 서준이는 연서보다 몸무게를 몇 kg 더 줄였을까요?

식 : $1 - \frac{3}{10} = \frac{7}{10}$ 답 : $\frac{7}{10}$ kg

✎ 알맞은 식을 쓰고 답을 구하세요.

③ 식당에 식용유가 3 L 있고, 참기름은 식용유보다 $1\frac{8}{12}$ L 더 적게 있습니다. 식당에 있는 참기름은 몇 L일까요?

식 : $3 - 1\frac{8}{12} = 1\frac{4}{12}$ 답 : $1\frac{4}{12}$ L

④ 무게가 8 kg인 수박을 $5\frac{2}{7}$ kg 먹고 나머지는 껍질로 버렸습니다. 버린 수박 껍질의 무게는 몇 kg일까요?

식 : $8 - 5\frac{2}{7} = 2\frac{5}{7}$ 답 : $2\frac{5}{7}$ kg

✎ 알맞은 소수를 구하세요.

⑤ 10이 2개, 1이 5개, 0.01이 4개인 수는 얼마일까요?

답 : **25.04**

⑥ 1이 4개, $\frac{1}{10}$ 이 4개, $\frac{1}{100}$ 이 6개인 수는 얼마일까요?

답 : **4.46**

✎ 알맞은 풀이를 쓰고 답을 구하세요.

⑦ 레이가 가진 색 테이프 4.6 m 중 237 cm를 사용하였습니다. 레이에게 남은 색 테이프는 몇 m일까요?

풀이 : (사용한 색 테이프) = **237** cm = **2.37** m
(남은 색 테이프)
= (원래 있던 색 테이프) − (사용한 색 테이프)
= **4.6** − **2.37** = **2.23** (m)

답 : **2.23** m

P 68 ~ 69

월 일 / 제한 시간 15분 / 맞은 개수 / 7개

✎ 알맞은 풀이를 쓰고 답을 구하세요.

① 해수는 철사 1 m 를 사서 우찬이에게 $\frac{6}{8}$ m를 나누어 주었습니다. 해수에게 남은 철사는 몇 m일까요?

풀이 : (남은 철사의 길이)
= (전체 철사의 길이) − (나누어 준 철사의 길이)
= $1 - \frac{6}{8} = \frac{2}{8}$ (m)

답 : $\frac{2}{8}$ m

✎ 알맞은 식을 쓰고 답을 구하세요.

② 지웅이가 기르는 강아지의 몸무게는 $5\frac{6}{12}$ kg이고, 고양이는 강아지보다 $1\frac{8}{12}$ kg 더 가볍습니다. 지웅이가 기르는 고양이의 몸무게는 몇 kg일까요?

식 : $5\frac{6}{12} - 1\frac{8}{12} = 3\frac{10}{12}$ 답 : $3\frac{10}{12}$ kg

③ 화선이가 냉장고에 있던 치즈 $3\frac{1}{3}$개 중에 $\frac{2}{3}$개를 먹었습니다. 냉장고에 남은 치즈는 몇 개일까요?

식 : $3\frac{1}{3} - \frac{2}{3} = 2\frac{2}{3}$ 답 : $2\frac{2}{3}$개

✎ 다음 물음에 답하세요.

④ 병에 들어 있는 주스의 양은 0.01이 235개인 수입니다. 병에 들어 있는 주스의 양은 몇 L일까요?

답 : **2.35** L

⑤ 어린이 마라톤 코스의 길이는 0.001이 8402개인 수입니다. 어린이 마라톤 코스의 길이는 몇 km일까요?

답 : **8.402** km

✎ 알맞은 식을 쓰고 답을 구하세요.

⑥ 달팽이가 1분 동안 1.7 cm 움직이고, 다음 1분 동안 3.2 cm 움직였습니다. 달팽이가 2분 동안 움직인 거리는 몇 cm일까요?

식 : **1.7+3.2=4.9**   답 : **4.9** cm

⑦ 작년에 수아의 몸무게는 22.5 kg이었는데 일 년 동안 2.6kg 더 늘었습니다. 올해 수아의 몸무게는 몇 kg일까요?

식 : **22.5+2.6=25.1**   답 : **25.1** kg

5회차 진단평가

월 일
제한 시간 10분
맞은 개수 / 7개

✒ 알맞은 식을 쓰고 답을 구하세요.

① 냉장고에 우유가 $3\frac{2}{3}$ L 들어 있었는데 $1\frac{1}{3}$ L를 더 사서 넣었습니다. 냉장고에 있는 우유는 모두 몇 L일까요?

식 : $3\frac{2}{3} + 1\frac{1}{3} = 5$ 답 : ___5 L___

② 세람이는 당근을 $2\frac{5}{12}$ kg 캤고, 아람이는 $4\frac{9}{12}$ kg 캤습니다. 두 사람이 캔 당근은 모두 kg일까요?

식 : $2\frac{5}{12} + 4\frac{9}{12} = 7\frac{2}{12}$ 답 : ___$7\frac{2}{12}$ kg___

✒ 알맞은 풀이를 쓰고 답을 구하세요.

③ 목공소에서 5 m 길이의 나무 막대를 사서 깃봉을 만드는 데 $4\frac{3}{9}$ m를 사용했습니다. 남은 나무 막대의 길이는 몇 m일까요?

풀이 : (남은 나무 막대 길이)
= (산 나무 막대 길이) – (사용한 나무 막대 길이)
= $5 - 4\frac{3}{9} = \frac{6}{9}$ (m)

답 : ___$\frac{6}{9}$ m___

✒ 다음 물음에 답하세요.

④ 영재가 가진 색 테이프의 길이는 8.45 m, 상아가 가진 색 테이프의 길이는 8.425 m입니다. 두 사람 중 가지고 있는 색 테이프의 길이가 더 긴 사람은 누구일까요?

답 : ___영재___

⑤ 고양이의 몸무게는 2.308 kg, 토끼의 몸무게는 2.24 kg입니다. 고양이와 토끼 중 더 가벼운 동물은 무엇일까요?

답 : ___토끼___

✒ 알맞은 식을 쓰고 답을 구하세요.

⑥ 송이는 집에서 자전거를 타고 6.1 km 를 갔다가 다시 0.7 km만큼 돌아왔습니다. 송이는 집에서 몇 km 떨어져 있을까요?

식 : ___6.1-0.7=5.4___   답 : ___5.4 km___

⑦ 목걸이의 무게는 17.5 g이고, 반지의 무게는 12.8 g입니다. 목걸이는 반지보다 몇 g 더 무거울까요?

식 : ___17.5-12.8=4.7___   답 : ___4.7 g___

66

The essence of mathematics
is its freedom.

99

"수학의 본질은 그 자유로움에 있다."

Georg Cantor, 게오르크 칸토어